Eugen Diederichs

Aus meinem Leben

Eugen Diederichs: Aus meinem Leben

Erstdruck in der Sammlung »Der deutsche Buchhandel in
Selbstdarstellungen«, Leipzig (Felix Meiner) 1927.

Neuausgabe
Herausgegeben von Karl-Maria Guth
Berlin 2020

Der Text dieser Ausgabe folgt:
Diederichs, Eugen: Aus meinem Leben. Sonderausgabe, Jena: Eugen
Diederichs, 1938.

Die Paginierung obiger Ausgabe wird hier als Marginalie zeilengenau
mitgeführt.

Umschlaggestaltung von Thomas Schultz-Overhage unter Verwendung
des Bildes: Eugen Diederichs, photographiert von Alfred Bischoff

Gesetzt aus der Minion Pro, 11 pt

Die Sammlung Hofenberg erscheint im
Verlag der Contumax GmbH & Co. KG, Berlin
Herstellung: BoD – Books on Demand, Norderstedt

Die Ausgaben der Sammlung Hofenberg basieren auf zuverlässigen
Textgrundlagen. Die Seitenkonkordanz zu anerkannten Studienausgaben
machen Hofenbergtexte auch in wissenschaftlichem Zusammenhang
zitierfähig.

ISBN 978-3-7437-3674-0

Bibliografische Information der Deutschen Nationalbibliothek

Die Deutsche Nationalbibliothek verzeichnet diese Publikation in der
Deutschen Nationalbibliografie; detaillierte bibliografische Daten sind
im Internet über www.dnb.de abrufbar.

Inhalt

In Willen und in Sehnsucht!

Im Alter sieht man menschliches Erleben mit anderen Augen an als in der Jugend, sein eigenes und das anderer. Je älter man wird, desto mehr versteht man nicht nur seine Eltern, sondern auch das Blutserbe in sich von seinen Vorfahren her. Man spürt die Beziehungen zu Landschaft, zu Rasse, zu Geschichte, man sieht seine Gebundenheiten an die Vergangenheit. Aber man erblickt auch etwas Wunderbares: seine Freiheit als Möglichkeit der Selbstentfaltung. Schließlich war das doch der eigene Wille, für welchen Beruf man sich entschied, in welche Umgebung man sich stellte, welche Entschlüsse man im entscheidenden Zeitpunkt faßte. Alles Leben ist eine Wanderung, bei der es heißt, mittels eines inneren Kompasses geradaus zu seinem Ziel zu kommen, zu seinem ganz Eigenen, das die menschliche Persönlichkeit ausmacht und sie von allen anderen Menschen unterscheidet. Jeder Baum im Wald, und wenn er nur aus lauter Buchen bestände, hat seine ihm eigene Form und sein ihm eigenes Schicksal. Nicht alle werden große, voll ausgewachsene Bäume. Bei manchen reicht die Wachstumskraft des Bodens nicht aus, auf dem sie stehen, wieder andere reißt der Sturm nieder, andere werden von Menschenhänden vernichtet. Alle aber streben im Daseinskampf der Sonne zu, und wehe dem, der zurückbleibt, denn die Natur ist gut und grausam zugleich. Gut ist aber sie zu allem Gesunden und Tüchtigen.

Ist man aber zwanzig Jahre alt, spürt man nur Gegenwart und in ihr die schmerzliche Zerrissenheit der eigenen Werdenot. Man sieht noch keinen geraden Weg, den man zu gehen hat, vor sich, sondern nur: viele Wege öffnen sich, die sich kreuzen. Wie gern hätte man einen Führer, aber er fehlt. Vielleicht steht man im völligen Gegensatz zu seiner Umgebung. Die Familientradition trägt nicht mehr, vielleicht weil das Leben in seiner Vielgestaltigkeit etwas Neues mit einem vorhat. Man tastet unsicher und siehe, irgend etwas Höheres führt. Die christliche Lehre sieht in dieser Führung das Eingreifen eines persönlichen Gottes, ich möchte sie für mich als das Geheimnis der inneren Kraft bezeichnen. Als Freiheit in der Gebundenheit, als Entfaltungstrieb, und dadurch ist sie Auswirkung unseres geistigen Lebens. Wille und Schicksal sind im Menschen dann eines. Die inneren Kräfte des Menschen ziehen seine äußeren Lebensereignisse heran. Freilich ist dann die Grundbedingung: Treue gegen sich selbst. Nie darf man einer Aufgabe, die man sich selbst gestellt hat, ausweichen, sondern hat sie trotz allen entgegenstehenden Gewalten durchzuführen. Nie darf man sich vor irgendwelchen Problemen drücken, im Gegenteil, man muß sie aufsuchen und mit ihnen im Kampf des Lebens fertig werden. Die Jugendjahre müssen schweifend sein. Kein endgültig sich Festlegen in überlieferte Meinungen aus Bequemlichkeitsbedürfnis, kein allzu frühes Festwurzeln in Geschäft oder Weib. Ewige Sehnsucht nach unendlicher Weite und hinaus über die engen Grenzen der Heimat. Mit den Augen leben und erleben: Trink den goldenen Überfluß der Welt!

In den Mannesjahren kommt dann die Verwurzelung durch Beruf, Weib und Kind. Die übliche Meinung ist, man müsse dann nur »real« denken. Es ist Gnade, ist Schicksal, wenn die vorhergehende Lebenssphäre der Sehnsucht in die Weite im Menschen nicht abbricht, sondern das reale Denken sich zur Aufgabe erweitert, die ich mit dem trotzigen Spittelerschen Wort »Dennoch« bezeichnen möchte. Sei nicht Epimetheus, sondern Prometheus! Es ist das Denken des schöpferischen und letzthin religiösen Menschen zur zukünftigen Gestaltung hin. »Trachte ich denn nach Glücke? Ich trachte nach meinem Werke!« Dieses Nichtanderskönnen ist ein schwerer Gang und doch auch wieder der Weg zu einem reichen Leben, zu einem Leben, das in die Tiefe des Erlebens führt, Beethovens Neunte erzählt von ihm. Es ist Schicksal, wenn im Leben eines ringenden Menschen der Durchbruch zu: »Seid umschlungen, Millionen« bis zu »freudig wie ein Held zu siegen« kommt. Meist kommt er erst im hohen Alter. Es gehört manch rätselhaft instinktives Handeln, viel Eros zu allem Leben und auch viel Logos dazu, um gelassen allen Wirrnissen des Lebens gegenüberzustehen. Um Menschen und Dinge objektiv sehen zu können, um das Unendliche oder mit anderen Worten das Kosmische als wirkliche Macht zu empfinden und seinen wehenden Atem zu spüren. Vergangenheit, Gegenwart und Zukunft sind dann eins geworden, wie ja auch das Leben trotz aller Gesondertheit eine Einheit ist. Nur Gegensätzlichkeit ermöglicht das Leben und macht es farbig und reich. Man möchte manchmal wünschen, zumal wenn man krank ist, man wäre nur Geist und wäre seinen Körper los. Man möchte manchmal weniger Tier sein. Aber wären wir nur Geist, so hätten wir keine Aufgaben, sondern wären reibungslos funktionierende Maschinen. Wozu dann leben?

»Doch uns ist gegeben, auf keiner Stätte zu ruhen«, sagt Hölderlin in seinem Schicksalslied. Denn wir leben in qualvoller Zwiespältigkeit, um die Materie und damit auch unser Ich in unendlicher Vielfältigkeit zu formen. Nicht jeder kann frei schaffender Künstler sein, und wer ein solcher ist, hat schwer darunter zu leiden.

»Alles geben die Götter, die unendlichen, ihren Lieblingen ganz;
Alle Freuden, die unendlichen, alle Schmerzen, die unendlichen,
   ganz.«

Aber jeder Beruf, zu Anfang der des Bauern, hat den Auftrag in sich, Menschen zu bilden. Ich danke es meinem Schicksal, noch direkt aus Bauernblut zu stammen und aus ihm heraus in den Beruf geistigen Pflügens und Samenstreuens hinübergetreten zu sein. Ich habe nie an zu großem Selbstvertrauen gelitten, ja, ich muß gestehen, als ich meinen Verlag gründete, habe ich nicht an ein Gelingen geglaubt. Ich wollte nur mittels Tun ein Mensch werden.

9

Der Weg aus der Vergangenheit

Erst als ich reichlich fünfzig Lebensjahre hinter mir hatte, ging ich der Geschichte meiner Vorfahren nach, in dem instinktiven Gefühl, mir Klarheit zu schaffen, welche Bindungen meines Wesens, Charakter genannt, ich ihnen zu danken hatte. Ich reiste zum erstenmal nach ihrer Heimat, den braunschweigischen Dörfern Jerxheim und Söllingen, studierte dort in alten Kirchenbüchern und sprach mit den Leuten gleichen Namens, von deren Dasein ich bisher nichts wußte. Aber das war es nicht allein, ich erlebte die alte Kirche, in der sich meine Vorfahren taufen und trauen ließen, ich erlebte auch die weite fruchtbare Ackerlandschaft, ihre Geschichte, und den Waldfrieden des nahen Elm, der sich stundenweit bis Königslutter mit dem Kaisergrab Lothars erstreckt. Gleich hinter ihm beginnt das weite Helmstädter Braunkohlengebiet, unter der früher sumpfigen Söllinger Flur stehen aber wahrscheinlich noch Salzlager.

In die Zuckerrüben- und Weizenwüste des jetzt reich kultivierten Söllinger Ackerlandes – man sieht kaum einen Strauch – ragt zehn Minuten hinter dem Dorf eine lange Wiesenzunge mit einem Bach hinein, und eine ganz märchenhafte, braunalte Fachwerkmühle, unter uralte Pappeln geduckt, liegt einsam mitten in ihr. Die letzte der Wiesen heißt Tetzelwiese, weil Tetzel auf der Fahrt zu dem wundertätigen Marienbild in Küblingen der Sage nach dort Ablaß ausgeteilt hat. Dort wurde nach dem Söllinger Kirchenbuch dem Müller Joachim Diterich 1603 die Tochter Anna geboren. Es ist die älteste Nachricht des Kirchenbuches. Aber das Strafregister des Amts Jerxheim verzeichnet schon 1532 unter Söllingen: »Hans Diederichs und Jochim Krüger haben sich zusamd bei den Haren geropft. Jeder verbrochen $2^1/_2$, Schilling.« Etwas von diesem Verhältnis zum Rechte spüre ich auch in mir, das sich dann bei meinem Großvater in den Wahlspruch umwandelte: »Tue recht und scheue niemand.« So waren meine Vorfahren nach dem Dreißigjährigen Kriege zuerst Kleinbauern, »Kotsaß« genannt, dann Dorfschneider, bis aus dem Schneidergesellen Andreas Otto in der dem Siebenjährigen Krieg anschließenden Zeit in mannigfacher Metamorphose über die schwarzen Husaren in Braunschweig 1782 ein »Opfermann und Schulmeister wurde. Mit nahezu dreißig Jahren ging er noch auf die Präparandenanstalt in Wolfenbüttel, gewiß aus innerem Muß heraus. Und wenn auch keine direkten Familiennachrichten mehr vorliegen, ich weiß, es ging ihm wie mir, er kämpfte mit sich den Kampf der Schwere. Das unruhvolle Selbst begann mit ihm seinen Aufstieg in die bürgerliche Sphäre.

Sein Sohn, mein Großvater, wanderte dann 1823 in Thüringen ein und begründete den Thüringer Zweig unserer Familie. Zuerst war er Gutsinspektor und pachtete sich dann mit seinem ersparten Geld ein Rittergut bei Camburg, verwaltete aber zugleich auch das 2000 Morgen große Rittergut Schkölen als Administrator. Es war ein mühseliges sich Hochkämpfen, strenge norddeutsche Gewissenhaftigkeit paarte sich mit Können, und nun lauten die Familiennachrichten über die Charakteranlage bestimmter. Auch ihm war die Schwermut nicht erspart. Vergleiche ich die Jugendbildnisse meines Vaters und seiner Geschwister und die gleichzeitigen Bildnisse ihrer braunschweigischen Vettern, den Söhnen von Großvaters Bruder, so haben jene ein echt norddeutsches schmales Gesicht mit eng zusammengestellten Augen und scharfer Nase. Während der Thüringer Zweig in der gleichen Generation sozusagen ein geräumiges Gesicht aufweist, die Augen stehen weiter von dem Nasenbein ab, die Züge sind breiter und weicher. Denn meine Großmutter stammte aus dem sogenannten Osterland, das ist die Gegend zwischen Naumburg, Zeitz, Altenburg, Gera. Auch meine Mutter und deren Vorfahren waren alteingesessene Bauern im Osterland. Das Osterland ist sozusagen das erste Kolonisationsgebiet beim Vordringen der Thüringer gegen die Slawen über die Saale. So habe ich von meinen beiden Vorfahren mütterlicherseits gemischt slawisch-germanisches Blut mit starker Vorherrschaft meines niedersächsischen Bluts. Der Slawe ist erdgebundener als der nordische Mensch und in seiner guten Mischung lebenstüchtig und heiter. Ich spüre es ganz deutlich, das Blut, was mich für meinen Verlegerberuf 11 tauglich machte, danke ich meiner künstlerisch naiven Großmutter. Einer Tischlerstochter, deren Briefschreibweise nur auf dem Klang des Wortes beruhte, die nie den Kopf hängen ließ und wenn es darauf ankam, bei schlechtem Wetter sich in Männerkleidern aufs Pferd setzte und früh um vier zum Buttern in dunkler Nacht auf das eine Stunde entfernte andere Rittergut ritt. Zwei ihrer Kinder erbten ihre Thüringer Lebenslust und Lebensoffenheit, zwei aber, darunter mein Vater, die norddeutsche Schwere.

So wurde mein Vater wieder Landmann, aber der Großvater konnte ihn nur mangelhaft in seiner Selbständigkeit unterstützen, denn der Bruder wollte studieren und die Schwestern sich verheiraten. So ging es ihm wie seinem Vater, die Schulbildung ging nicht über die Volksschule hinaus, mit vierzehn Jahren wurde er Lehrling und sparte sich dann bei der Pacht von Bauerngütern mühsam Gelder, um später ein Rittergut zu pachten. Aber die ererbte Schwere, die zu einer starken Hypochondrie sich auswuchs, war verbunden mit starker, instinktiver Organisationsgabe. Er galt, ohne mit theoretischen Kenntnissen belastet zu sein, als einer der tüchtigsten Landwirte seines Kreises. Er hat wohl kein Buch in seinem Leben gelesen mit Ausnahme von ein paar Werken über Bienenzucht, denn diese, sowie überhaupt Tierzucht, war seine Passion. Schon vier Jahre später, als ich in Löbitz unweit Osterfeld auf dem dortigen Rittergut geboren war, zog er 1871 nach der Marktstadt Naumburg a. d. S. und blieb dort entgegen seiner ursprünglichen Absicht viel zu früh als Rentner hängen, da er in den Gründerjahren die Hälfte seines angesammelten Vermögens verlor, für das er sich hatte ein Rittergut kaufen wollen.

Kindheit und Wandern

So verlebte ich meine Jugend in der alten Bischofsstadt Naumburg und sog meine geistigen Interessen für die Zukunft auf dem dortigen Domgymnasium ein, das ich mit der Versetzung nach Obersekunda verließ. Erst später von der Fremde aus bekam ich Augen für die Schönheit der landschaftlichen Umgebung Naumburgs und vor allem auch für die Schönheit seines Domes, dessen Stiftergestalten ich immer als mein persönliches Eigentum empfinde. Denn ich habe sie in jeder Lebensperiode in mir neu und tiefer erlebt. Ich war kein tatkräftiger Junge, ganz verträumt und daher auch kein fleißiger Schüler. Zweimal blieb ich sitzen, brauchte vor der Versetzung in der Regel Nachhilfestunden und kam meistens als Letzter mit. Er muß sich sein Träumen abgewöhnen, hieß es in der Regel auf der Zensur, und später wurde dann auch noch in ihr von seiner schädlichen Vielleserei gesprochen. Was habe ich in den Jahren des Heranwachsens alles verschlungen! Die Marlitt und wer sonst noch in den alten Jahrgängen der Gartenlaube geschrieben hatte, unzählige Schundromane in Lieferungen, die mir andere borgten, auch zeitweise Indianergeschichten, Gerstäcker inbegriffen, bis man sich dann zu Gustav Freytag, Scheffel, Dickens, Scott u.a. hinauflas. Ich war ein Kind, das wenig spielte und nicht mitlachte, wenn die Klasse in ausgelassener Heiterkeit über den Witz des Lehrers erdröhnte, so daß mich dieser »den Philosoph« nannte. So wurde ich leider, muß ich zu meinem Leidwesen gestehen, insofern ein Musterschüler, als ich meine Lehrer nie ärgerte. Der Lohn blieb nicht aus, als ich von der Schule abging, bekam ich noch feierlich in der Aula außerhalb der gewöhnlichen Prämienverteilung eine besondere Trostprämie für meine Haltung als Schüler mit der privaten Prophezeiung des Direktors, ich würde wohl wiederkommen, um das Schulstudium zum Abschluß zu bringen. Aber ich wußte es selbst besser, daß ich eigentlich gar nichts wußte, sondern nur immer riet. Einmal glückte es mit gut, dann gab es eine zwei, das andere Mal mißglückte es und es gab eine vier. Beides glich sich dann zu einer drei aus.

So wurde ich mit sechzehn Jahren Lehrling auf einem Rittergut bei Merseburg, fern jeder Landstraße. Zwarhatte ich auch daran gedacht, in Verfolg meiner Leseliebhaberei Buchhändler zu werden, aber der Vater riet mir zur alten Familientradition, und ich hoffte, daß wenigstens ein Teil von ihr mir im Blute liegen würde. Ich habe nach bestandener Lehrzeit noch zwei Stellungen als Verwalter gehabt, die letzte auf dem Rittergut Kreipitzsch, zu dem auch die Rudelsburg bei Bad Kösen gehört. Ich tat als »lütter Onkel Bräsig« oder auch als »Fritz Triddelsitz« meine Pflicht, aber ohne innere Anteilnahme an Kühen, Schweinen und anderem Viehzeug. Bei den Feldfrüchten schmeckte ich mehr die harte Arbeit, als daß mich die Beobachtung ihres Wachsens innerlich beschäftigte. Im Grunde geizte ich nach jeder freien Stunde, in der ich mir angehören konnte. Irgendwie war ein dunkler Drang in mir, über mich hinauszukommen, darum las ich bis tief in die Nächte hinein. Allotria treiben nannte es der Chef, der es ungern sah. Später wurde mir klar: Meine Entwicklung mußte erst durch viele Menschen, Bücher und Bilder hindurchgehen, ehe ich in das nahe Verhältnis zu Natur und Geistigem kam, das ich heute habe.

Da kam es anders über Nacht. Am 31. März abends zog ich noch fröhlich auf dem Turm des Schlosses die Fahne auf, damit sie am 1. April zu Bismarcks Geburtstag weit über das Saaletal hinflattern sollte. Am anderen Morgen war mir die Gestalt Bismarcks etwas ganz Fremdes. Eine rätselhafte Entschlußunfähigkeit und tiefe Selbstvorwürfe waren über mich gekommen, ich war zu allem Handeln unfähig. Die Schwermut, die alte Familienkrankheit, hatte mich überfallen und sollte dreiundzwanzig Jahre mein Leben in periodischem Auf und Ab bestimmen.

Das erste Gegenmittel waren allerlei ärztliche Heilversuche. Fort vom Lande! Dann ein anderer Beruf und Dazwischenlegen des Militärdienstjahres als Einjähriger in Dresden.

Dann wurde ich mit einundzwanzig Jahren Buchhändler.

Ich hatte bei dieser Wahl weniger eine bestimmte Vorstellung, was mir dieser Beruf geben würde, als daß ich mir sagte, ich wollte den Beruf wählen, bei dem Lesen nicht ein Hindernis sei.

So lernte ich, mehr durch Zufall hingeraten, vom 1. Oktober 1888 an in dem theologischen Verlag Eugen Strien in Halle und ging darauf zur Ausbildung im Sortiment in die Stubersche Universitätsbuchhandlung nach Würzburg. Dann unterbrach ich meine buchhändlerische Tätigkeit durch einen Sommeraufenthalt in Genf, um dort Französisch sprechen zu lernen. Im Anschluß daran unternahm ich eine große Radtour durch Savoyen und über die Provence nach Marseille, dann die Pyrenäen entlang an der Küste bis Bordeaux und zuletzt quer durch Südfrankreich bis Lyon. Im Herbst nahm ich wieder bei Max Mencke in Erlangen Stellung, orientierte mich dann später in der Stellung eines Geschäftsführers in der Huwaldschen Buchhandlung in Sangerhausen über die Ansprüche der Kleinstadt, und schließlich suchte ich in der Bielefeldschen Hofbuchhandlung in Karlsruhe hinter die Geheimnisse des Antiquariats zu kommen. Mittlerweile war ich nahezu achtundzwanzig Jahre alt geworden, da starb 1895 mein Vater, und ich hatte mein bescheidenes väterliches Vermögen selbst in der Hand. Nun stand es fest: ich gehe wenigstens ein Jahr lang auf Wanderung mit Tornister nach Italien, um endlich einmal nicht mehr täglich in verkrampftem Willen zu leben, um Lebensmut zu gewinnen und Schönheit zu trinken.

Wie ich im Ausgang meiner buchhändlerischen Wanderzeit über meine menschlichen Erfahrungen im Kollegenkreis dachte, zeigt mein erster, in einem Gehilfenblatt »Unser Blatt« (1894) veröffentlichter Aufsatz, der das Thema behandelte: »Erzieht der Buchhandel Charaktere?« Dort heißt es u.a.: »Es ist ein Dünkel, immer von den Idealen des Buchhändlers zu reden, die schließlich bloß darauf hinauslaufen, sich hinter Bücher zu vergraben und sich um das Weltgetriebe möglichst wenig zu kümmern. – Welche Naturen sind es überhaupt, die sich aus Neigung zum Buchhandel wenden? Sind es diejenigen, welche in wilden Indianerkämpfen Häuptlinge sind, oder sind es die, welche zur Mutter nie mit zerrissener Hofe kommen, die sogenannten artigen Kinder? Gewiß letztere, denn wenn jene herumtollen, schmökern und streben sie zu Hause, schauen höchstens verliebt nach des Nachbars Töchterlein mit den langen Zöpfen, bis sie sich einmal mit einem allzu liebenswürdigen Lehrer herumärgern und dann auf die Schuldisziplin pfeifend sich den Weg in die Freiheit bahnen und mit dem Einjährigen in der Tasche, manchmal auch ohne dasselbe, sich dem Buchhandel in die Arme werfen. Denn man handelt dort nicht mit Heringen, Butter und Käse, sondern hat das Neueste der Literatur zur Hand und wird dadurch spielend von selbst klüger! O goldene Freiheit, zumal wenn du in eine Lehrlingsfabrik geraten bist! Dort wird der Unglückliche in Reinkultur gezüchtet und bleibt drei Jahre lang an einem Posten, er übt sich im Leiterklettern, Fakturenordnen, Bindfadenzusammenknüpfen, Büchereinpacken und – im Bedienen der Kunden. Doch sollen es nicht alle, wenn man dem Gerücht glauben darf, zu letzterem bringen; manchmal ist man auch zu schüchtern, um mit dem Publikum zu verkehren. Aber da ein bescheidenes Wesen stets eine Tugend ist, so kommt es vor, daß er solche Bescheidenheit noch als besonderes Lob ins Zeugnis bekommt. In der Tat, bescheiden kann man ja nie genug in der Stellung seiner Gehaltsansprüche sein. Wie bezeichnend! Im Erwerbsleben heißt es stets, wie komme ich meinem Konkurrenten vor, und derjenige ist der beste Geschäftsmann, der ein offenes Auge zum Sehen und Urteilen hat. Sicherlich hat mancher Kaufmann, zumal wenn er sich in fremden Ländern herumgetrieben hat, ein klareres Urteil und mehr gesunden Menschenverstand, als mancher Gelehrte, der die Welt mit dickleibigen Folianten beglückt. Doch dazu ist keine Bescheidenheit nötig, sondern Rücksichtslosigkeit und kühnes Wagen. Wenn man auch von den Wanderjahren des Buchhändlers redet, so gibt es doch noch genug, die ausgelernt haben und dann noch jahrelang in derselben Stellung bleiben und glauben, es sei ein Beweis besonderer Tüchtigkeit, solange ausgehalten zu haben. Arbeitsmaschinen sind sie geworden und bleiben es auch, und sollte einmal der Verband Gelder übrig haben, wäre es kein Fehler, wenn er sie ins Seebad schickte zur Stärkung des Rückgrates. Doch auch das Leben derer, die wandern, ist nicht übermäßig anspannend. Ein Geschäftsreisender kommt oft genug ungelegen und meistens hängt es von seiner Menschenkenntnis, die die Stimmung des Käufers zu Rate zieht, von seiner Geschicklichkeit resp. Mundwerk ab, wie sich neue Artikel einführen. Das Publikum hingegen, welches in den Laden kommt, will Bücher kaufen, Ansichtssendungen erfordern nur ein kürzeres Einarbeiten in den Geschmack bestimmter Leute, die stets in den Konten wiederkehren, die Ausläufer sind auch nicht so rabiat wie polnische Pferdeknechte, und so ärgert man sich höchstens über seinen nervösen Chef, bis man es gewohnt ist und sich nichts mehr draus macht. Schließlich wird man über all dem Kleinigkeitskram selbst nervös, im Laufe der Zeit vielleicht auch Chef und ist nicht ein Haar besser als die, an denen man früher so manches auszusetzen hatte.«

Ich habe aber als Gehilfe nie abseits von meinen Kollegen gestanden und gehörte damals auch mit zu den Gründern der »Allgemeinen Vereinigung Deutscher Buchhandlungsgehilfen«.

Einen Winter lang bereitete ich mich nun im Elternhaus zu Naumburg für Italien vor. Noch wußte ich gar nicht, in welcher Weise ich selbständig werden wollte und ob ich mir überhaupt die nötige Nervenkraft zum Lebenskampf zutrauen dürfe, da kam der Entschluß, Verleger zu werden, beinahe über Nacht. Ich hatte in Karlsruhe den jungen Maler E.R. Weiß kennengelernt. Er war bereits trotz seiner achtzehn Jahre Mitarbeiter am »Pan«, der neugegründeten großen Kultur- und Kunstzeitschrift, die die künstlerische und literarische Revolution der neuen Zeit einleitete. Seinem Einfluß habe ich hauptsächlich meine spätere Hinwendung zu neuzeitlicher Bücherausstattung zu danken. Seine Not aber, einen Verleger für seine Gedichte zu finden, zeitigte meinen Entschluß, Verleger zu werden. Ich habe die näheren Einzelheiten unserer Bekanntschaft in einem längeren Aufsatz erzählt, den ich für die zu seinem fünfzigjährigen Geburtstag im Insel-Verlag erschienene Festschrift schrieb.

Schon war ich Frühjahr 1896 bereits in Italien unterwegs, da bekam ich die Zusage von Ferdinand Avenarius, dem Kunstwart-Herausgeber in Dresden, daß er seine kommenden Bücher bei mir verlegen wolle. Er wolle gern bis zu meiner Rückkehr warten, schrieb er, aber ich möge doch wenigstens in diesem Jahre noch sein Gedichtbuch »Lebe« in neuer Auflage herausbringen. So kam es, daß ich im Herbst 1896, früher als ich eigentlich wollte, nämlich am 14.September, dem Geburtstag meiner Mutter, offiziell die Börsenblattanzeige über die Verlagsgründung veröffentlichte. Auf dem von E.R. Weiß mit dem Marzocco geschmückten Briefbogen aber stand: »Verlag für moderne Bestrebungen in Literatur, Sozialwissenschaft und Theosophie.« Zu der letzteren ist es nie gekommen, ihr Begriff war für mich damals eine etwas unklare Synthese von Philosophie und Religion. Freilich der Verlag als solcher kümmerte mich im ersten Verlagsjahre noch herzlich wenig mit seinen drei Gedichtbüchern. Freund Thal in Leipzig nahm mir die Herstellungsarbeiten und den Vertrieb ab. Die Ausstattung seiner Gedichtbücher nahm Weiß aber selbst in die Hand, und es wurde grundsätzlich nicht das geringste Geld dabei gespart. Natürlich wurde die Auflage von »Die blassen Cantilenen« gleich ganz auf Japanpapier und »Elenora« auf kostbarem Elfenbeinkarton gedruckt. Ich zog weiter auf Wanderungen kreuz und quer, bald war ich im Apennin, bald in dem italienischen Alpengebiet, bald an der Adria, dann wieder an der Riviera, in Marseille und Korsika. Im Winter dann in Rom, Neapel, Sizilien und Tunis. Ich wollte gerade zu den Exkursionen des Archäologischen Instituts nach Griechenland gehen, zu denen ich mich angemeldet hatte, da brach der Krieg Griechenlands mit der Türkei aus. So kehrte ich im Mai 1897 früher nach Deutschland zurück als ich beabsichtigt hatte, mit dem Entschluß, mich in Leipzig niederzulassen. Inzwischen hatte ich im Winter von Rom aus Hans Blum zu einem Buch über die Revolution 1848 gewonnen und zu gleicher Zeit mit Wilhelm Bölsche ein Buch über das Liebesleben in der Natur verabredet, das sich zu dem bekannten dreibändigen Werk auswuchs.

Wenn ich von Landsleuten in Italien gefragt wurde, warum ich von Ort zu Ort zog, antwortete ich: Ich wolle meine Persönlichkeit ausbilden. Auf diese Antwort hin unterblieben in der Regel alle weiteren neugierigen Fragen. Was hatte ich eigentlich in Italien für meinen Beruf gewonnen? Ich wußte es erst nachher, was ich dort gewollt hatte. Ich hatte dort im Verkehr mit Künstlern, mit Volk und Landschaft, das angelesene Denken abgestreift. Ich begann unbefangen dem, was ich sah, gegenüberzustehen und mir aus dem Erleben heraus ein Urteil zu bilden. Etwas schüchtern geschah das auch der alten Kunst gegenüber, ich war aber noch zu wenig vorgebildet und schloß mich eng an Jakob Burckhardt an. Aber über Raffael war man trotzdem hinaus und lebte hauptsächlich in der Frührenaissance.

Bereit zum Verlegerberuf?

Überblicke ich meine berufliche Entwicklung bis zur Selbständigmachung, so möchte ich heute sagen, ich hatte mich als Gehilfe eigentlich fast nur auf das Sortiment in meinem Bildungsgang eingestellt. Das, was ich in dem mit zwei Gehilfen arbeitenden Verlag von Eugen Strien gelernt hatte, erstreckte sich hauptsächlich auf Kontenführung und

Ballenpacken. Die wenigen Korrekturen las der Chef selbst und von den Briefen an Druckerei und Autoren bekam man keinen einzigen, nicht einmal in der Registratur, zu sehen. Das war alles Geschäftsgeheimnis. Als Jungbuchhändler habe ich mir dann hauptsächlich Universitätsstädte als Tätigkeitsbezirk ausgesucht und mancherlei Vorlesungen zumal während meiner Hallenser Lehrzeit mit angehört. Es war mir auch darum zu tun, möglichst viel mit Studenten zu verkehren. Das ausgedehnte Ansichtsversenden, die damit zusammenhängenden Remissionswochen in der Ostermesse empfand man stark als hemmende Last, um so lieber bediente man die Käufer und hatte mit ihnen literarische Aussprachen. Der Sortimenter kann nie genug von gewissen Kunden lernen, die sich freuen, von solchen Büchern zu reden, die sie ergriffen haben. Eigentlich lebt man mit den Büchern aber erst als Antiquar in engem Verhältnis, der Blick erweitert sich durch sie über die Gegenwart zur Vergangenheit, zum Verständnis für die Buchindividualität vergangener Zeitepochen. Man hat beruflich die Ruhe der Einsamkeit, die im Ladenverkehr fehlt, man liest mit gutem Gewissen dieses und jenes Buch an, denn man soll ja seinen Wert für den Katalog formulieren. Das Gefühl für die Zugkraft des geeigneten Buchtitels verstärkt sich.

Ich muß sagen, eigentlich kam ich zu meiner Verlegertätigkeit als Außenseiter und war völlig unbelastet von Geschäftsroutine. Gott sei Dank, ich mußte meinen verlegerischen Weg aus mir selbst heraus gestalten und selbst erst aus meinen Erfahrungen den Verlegerberuf erlernen.

Aber auch menschlich war ich noch nicht für ihn reif. Ich hatte weder literarische Bekanntschaften noch irgendein bestimmtes Ziel, auf das ich verlegerisch lossteuern wollte. So begann ich geschäftlich denkbar ungeschickt mit den beiden Weißschen Gedichtbänden, bei denen ich es im Laufe der nächsten Jahre auf einen Absatz von je dreißig Stück brachte. Ich glich dem Menschen, der mit einem Plumps ins Wasser sprang: Jetzt lerne du schwimmen!

Zwar lebte ich geistig in der Spannung zwischen Literatur und Kunst, zwischen Philosophie und Antike, in der Spannung zwischen deutscher, französischer und romanischer Art, in der Spannung der Landschaft zwischen Mitteldeutschland und den Alpen. Auch darüber hinaus bis zu den Beduinen am Wüstenrand und bis zu den Pyrenäen und den blauen Wogen am Strand von Biarritz. Aber noch war nichts in mir zu Form geworden, denn ich war eine spät sich entwickelnde nordische Natur, die erst im Schwabenalter zur Reise kommt. Von meiner Familie glaubte niemand an mein Können, als ich mich selbständig gemacht hatte. Am letzten glaubte ich selbst daran, und ich schwankte noch in Rom, ob ich nicht doch zu guter Letzt trotz Verlagsgründung nach einer Südseeinsel auswandern und damit dem Lebenskampf ausweichen sollte. Nicht des Träumens wegen, nein, ich stand manchmal in tiefster Depression vor der Frage Hamlets: Sein oder Nichtsein.

Es lastete auch damals in Italien das fortgesetzte Aufnehmen von Eindrücken auf mir, ohne die Möglichkeit, sie wieder direkt zu verarbeiten. So schrieb ich Reiseskizzen für die *Gazetta di Numburgo,* wie ich den Italienern gegenüber mein heimatliches Naumburger Kreisblatt nannte, natürlich ohne Honorar. Es erspart alles Reden über mein damaliges Empfinden, wenn ich eine kurze Probe von einer Plauderei aus dem Seebad Viareggio hierhersetze. »Es ist Sonntagmorgen. Ich liege lang hingestreckt am Meeresufer, zu den Füßen plätschern stoßweise die Wellen; ein plötzlicher Ruck, der weiße Schaum kommt bis dicht an die Füße. Doch des Strudels Kraft reicht nicht aus, mich zu vertreiben; das Wasser weicht zurück und läßt nur eine glatte, feste, leicht geneigte Sandfläche hinter sich. Stets von neuem treiben die Wellen ihr Spiel; aber noch die gestrige Nacht war der Meergott gar nicht zum Scherzen aufgelegt. Der Schirokko wehte, auf hohen Wellenrossen ritt er aus dem Süden einher, brausender Gischt spritzte an dem Hafendamm hinauf, vor seiner heulenden Stimme, vor seinen Gestikulationen waren die sonst so zahlreichen Spaziergänger geflohen, nur ein Liebespaar saß unbekümmert in einem trockenen Winkel. Über den scharfgezackten Graten der benachbarten karrarischen Marmorberge leuchtete es unaufhörlich, bald lagen ihre Konturen nicht erkennbar in tiefem Dunkel, bald hob sich deutlich die ganze Bergkette von dem rotglühenden Himmel ab. Wie frisch es heute nach der Schwüle der vergangenen Tage ist, man glaubt bald, man wäre in der Heimat. Jetzt mögen wohl die Kirchenglocken klingen, mögen die Straßen reingefegt sein und die Leute in extra weißem Hemd und neuen Kleidern auf der Straße gehen...

Was ist Wahrheit? Eine alte, ewige Frage, die vor und nach Pilatus unzählig oft erörtert worden ist. Es gibt eine ewige Wahrheit, sagte mir mein Tischnachbar in der Pension, ein zukünftiger römischer Prälat, und die lehrt unsere Kirche. In welcher Zeit lebt jener, daß er nicht weiß, daß jeder Tag neue Wahrheiten herausbringt und daß die Wahrheit von gestern heute schon Lüge ist und überwunden werden muß! Überblicke ich den blauen Meeresspiegel, bis dahin, wo er mit dem Himmel in eins zusammenfließt, so unergründlich tief, so unbezwungen, so trotzig stark gegenüber jeder Menschenhand, heute ruhig und heiter, morgen Tod und Verderben bringend, deucht es mir, dem Leben selbst, der Allmutter Natur ins Auge zu blicken. Seit wann hätte das Leben, von dem schon Heraklit, der Dunkle, sagte, daß »Alles fließt«, sich an menschliche Satzungen gekehrt! Predigt nicht das Meer, wenn es stürmt: Laß dich nicht brechen und sei stark in deiner Persönlichkeit, laß das große Meer deines unbewußten Lebens nicht in enge Schranken schlagen?! Laß es stürmen, auf Sturm folgt Ruhe, folgt der Friede, weiße Möwen schweben dann wieder über den blauen Wassern, Palmen spiegeln sich in der blanken Flut, umkost von linden Winden, die dem stürmischen Brausen gefolgt sind, und im Sand liegen buntfarbige Muscheln. – In der Ferne zeigen sich die Segel einiger Schiffe, die nach unbekannten Ländern segeln. Auch den Menschen treibt es immer vorwärts in das Ungewisse hinaus, wie eine ferne Küste liegt hinter ihm die Vergangenheit, nur vorwärts in die Zukunft hinein, nach unserer Kinder Land!«

Ich sah zwar kein bestimmtes Ziel vor mir, aber doch stellte ich mir eine Aufgabe. Diese Aufgabe war aber nicht, möglichst viel Geld zu verdienen, denn das ist überhaupt keine Aufgabe, es ist nur die Sucht nach Sattsein, nach Behagen – sondern die, die dunklen Mächte in mir zu überwinden. Zur Sehnsucht auch den Willen zu fügen, der Idee zu dienen, indem man, um sie in Wirklichkeiten umzusetzen, organisatorisch hilft und damit allem Schöpferischen zur Seite steht. Dazu gehört, in Demut an Kräfte in sich zu glauben, die man noch nicht kennt. Vor allem zum Opfer bereit sein und von anderen Menschen nichts pharisäerhaft fordern, aber fordernd gegen sich selbst sein. Ibsen und Nietzsche hatten damals großen Einfluß auf mein Denken, ich verstand auch so gut das Anspringen Nietzsches gegen sein periodisches körperliches Versagen.

Ich muß mich noch heute wundern, daß damals der bedächtige und kritische Avenarius ohne mich zu kennen bereit war, seine Bücher mir anzuvertrauen, einem Menschen ohne jede sichtbare Leistung bis dahin, einem unbeschriebenen Blatt. Ich weiß keine andere Erklärung, als daß der Unterton des ersten Briefes, den ich an ihn schickte, ihn zu mir zog. Ich erklärte ihm, er würde nur in die beste Gesellschaft mit seinen Büchern kommen. Wie anders reagierte später der Philosoph des Idealismus Rudolf Eucken, als ich ihm nach meiner Übersiedlung nach Jena nahelegte, ob er nicht auch mal bei mir verlegen wolle. Ich bekam gar keine Antwort, hörte aber dann von einem gemeinsamen Bekannten, daß er zu ihm gesagt hatte: Ich sei ihm zu sehr Idealist und die machten in der Regel Bankrott. Darum ginge er lieber zu einem Geschäftsverleger.

Ich bin Avenarius für die ersten Verlagsjahre großen Dank schuldig, gar manchmal fuhr ich um Rat und Auskunft zu ihm nach Dresden. Nicht daß ich mich von seinem Urteil abhängig gemacht hätte, er war z.B. durchaus dagegen, daß ich Maeterlinck nahm. Aber mein literarisches Urteil reifte an dem seinen, ihm allein hatte ich z.B. die Verbindung mit Carl Spitteler und auch das literarische Verständnis dieses Schriftstellers zu verdanken, der bis dahin noch nie in die Lage gekommen war, Honorar zu verdienen.

Mein zweites literarisches Fußfassen geschah zu gleicher Zeit an einer anderen Stelle im Friedrichshagener Kreis von Bölsche, Julius Hart und Bruno Wille. Man ging miteinander spazieren, feierte Feste, und ich logiertegar manchmal bei Freund Julius auf dem Sofa, das auch Peter Hille öfters zur Unterkunft gedient hatte. »Eugen mit den Gespensteraugen« nannte mich damals Julius Hart, es lag zuviel Gewaltsamkeit im Mit-Sich-Fertigwerden in ihnen. Später gingen Harts Wege wieder fort von mir, und ich hielt es nach zwölf Jahren einmal für geraten, einen Honorarvorschuß für ein nicht geliefertes Buch einzuklagen, der Ordnung halber. Wir standen eines Tages gegenüber vor Gericht. Als ich mein Recht bekommen hatte, nahm mich Julius untern Arm und sagte in alter freundschaftlicher Weise: »Was geht uns das an, was die Advokaten miteinander verhandeln, jetzt wollen wir gemütlich eine Flasche Wein zusammen trinken gehen.« Es war ganz in meinem Sinne.

Der Verleger hat überhaupt drei Gemeinschaften zu pflegen. Zuerst mit seinen Autoren; ich verstehe weniger darunter die auf das Honorar zugespitzte Interessengemeinschaft, als daß man in persönlichem Verkehr deren innere Entwicklung in allen Lebensperioden miterlebt. Die zweite Gemeinschaft ist die mit seinen Lesern. Man darf die Käufer seiner Bücher nie enttäuschen, indem man lobpreist, was nichts taugt. Man muß ihr Vertrauen gewinnen.

Die dritte Gemeinschaft resultiert aus der Verbindung mit dem allgemeinen Leben ohne Zweck auf den Beruf. Sie schützt vor dem einseitigen In-der-Bücherwelt-Leben und verlüngt.

Zuerst galt es also, dem Verlag Inhalt und Form zu geben und sich trotz mangelnder Reise und Tradition zu bewähren.

Sieben Jahre Kulturverlag in Leipzig

Die eigentliche Verlagstätigkeit setzte also erst ein Jahr nach der offiziellen Gründung im Sommer 1897 in Leipzig ein. Das erste Jahr in Italien bestand mehr aus Vorarbeit und in innerer Verarbeitung von Eindrücken. Der junge Buchhändler der heutigen Zeit kann sich schwer vorstellen, wie friedlich es noch damals im buchhändlerischen Konkurrenzkampf aussah. Werbungsprobleme existierten überhaupt nicht, man lebte in festgefügter Tradition. Jeder Verlag hatte seine überkommenen Autoren und seine Richtung, die ihm niemand streitig machte. Neuausgaben älterer Literatur waren noch nicht im Gesichtskreis der Möglichkeiten, Übersetzungen aus ausländischer Literatur begannen aus dem Nordischen durch den Verlag S. Fischer und aus dem Französischen durch den Verlag Albert Langen den ersten Erfolg zu haben. Schuster und Löffler hatten gerade den ersten Erfolg mit ihrem Eintreten für die moderne realistische Dichtung von Liliencron, Gustav Falke u.a., nachdem der Leipziger Verleger Friedrich an ihr bankrott gegangen war. Stefan George hatte bereits bei Bondi einen kleinen Kreis mit den »Blättern für die Kunst« um sich gesammelt. Bis dahin hatten Emanuel Geibels Gedichte, Scheffels Trompeter und anschließend Baumbachs Butzenscheibenpoesie das Interesse für Lyrik beherrscht. Die Gestalt Seidels »Leberecht Hühnchen« erweckte das Behagen aller Kleinstadtmenschen – auch die Großstadt war damals noch Kleinstadt – und die revolutionären Geister des Schabeltitzschen Verlages in Zürich, Carl Henckel, John Mackay u.a. las man nur im engen Kreis der Literaten. Da schlug Gerhart Hauptmanns »Vor Sonnenaufgang« wie eine Bombe ein. Der Naturalismus, von den Franzosen und speziell von Zola ausgehend, wurde Programm, man wollte die Wirklichkeit erfassen. Ibsen war der vorbildliche Realist. Was lag für mich näher, als mich gleichfalls in die neue naturalistische Richtung verlegerisch hineinzubegeben.

Aber ich hatte ein ganzes Jahr im Lande der romanischen Form intensiv gelebt, hatte die individualistische Selbstherrlichkeit des Renaissancemenschen in Florenz und anderen Städten Oberitaliens in mich hineingetrunken. Weniger den modernen italienischen Diesseitsmenschen des Mittelmeeres, als jenes germanisch-romanische Mischblut alter Zeit, das in stolzem Selbstbewußtsein gotisch-trutzige Rathäuser und Paläste erbaute. Jenes Geschlecht, das zu Gott mehr im Verhältnis eines trotzigen Lehensmannes stand und auch sich nicht scheute, seinem Ketzertum der Papstkirche gegenüber sichtbaren Ausdruck zu geben, wie im Tempel zu Rimini. Auf der Gegenseite desselben Kreises stand aber die Naturnähe und die Menschheitsbruderschaft des heiligen Franz von Assisi. Der Marzocco des Donatello in Florenz, den ich als Verlagswappen gewählt hatte, war mir Symbol meines Wollens – kein äußerer Schmuck, sondern eine Verpflichtung.

Er war mir letzthin auch eine Verpflichtung zur metaphysischen Haltung meines verlegerischen Werkes. Ich empfand mich selbst als neuromantischen Verlag. Dieses Wort bedeutete für mich weniger bewußte Anknüpfung an die Ziele der alten Romantik vor hundert Jahren, sondern *Universalität der Welterfassung.* Und wenn ich heute nach reichlich dreißig Jahren auf mein Lebenswerk zurückblicke, so meine ich, ich habe mein Ziel durchgehalten. Es ist fast noch schwerer als Verleger vielseitig zu sein, denn als Künstler, denn immer zwingt das schöpferische Gestalten jenen zu seiner notwendigen Begrenzung in sich. Daß mir verlegerische Universalität gelungen ist, betrachte ich weniger als eigenes Verdienst, denn als gütiges Schicksal. Hätte ich ein Jahrzehnt früher mit dem Verlegen begonnen, ich wäre unfehlbar bankrott gegangen. Und würde ich heute einen so vielseitigen Verlag beginnen, er ginge nicht nur geldlich, sondern auch geistig mangels einer Tradition vor die Hunde. Ich möchte mit einem gewissen Stolz behaupten, es gab weder vor mir in der deutschen Verlagsgeschichte einen ähnlich universalen Verlag – auch Cotta oder Perthes waren

25

nicht so vielseitig-, noch wird es ihn nach mir geben. Es war im deutschen Kulturleben das nur in der Zeit eines Vorfrühlings möglich. Seine Vorbedingung war das Herauskommen des Unterstroms des Irrationalen im Anlauf gegen die Herrschaft des Materialismus und Intellektualismus. Es erhob sich eben schon um die Jahrhundertwende ein leises Ahnen der kommenden metaphysischen Einstellung des deutschen Geistes, seiner eigentlich religiösen Aufgabe. Ich wäre der letzte, von einem wirklichen Geistesfrühling jener Zeit oder gar von den Früchten meiner Arbeit zu reden. Es wird erst die Zeit kommen, da alles sich erfüllen wird. Uns bleibt nichts anderes übrig als unverzagt weiterzuarbeiten – und auf Gnade demütig zu warten.

Kulturverleger sein heißt nicht dieses und jenes wichtige und schöne Buch verlegen, sondern unbeirrt von augenblicklichem Erfolg und dementsprechend unbekümmert um Tagesmode verlegen und an den Sieg der Idee glauben. Ein Glaube, der sich zu bewähren hat, setzt richtigen Instinkt voraus. Ich kann nur bekennen, das Wissen kam mir immer erst nach dem Tun und durch das Tun. Ich habe immer aus dem Verhältnis zum Irrationalen meines Wesens verlegt. Es klingt paradox; stand man in den vergangenen dreißig Jahren gegen die herrschende Zeitströmung, so half einem das Leben erst recht.

Es hat mir nie an Verlagsangeboten gefehlt, nämlich solchen, auf die es ankommt (andere stellten sich außerdem noch in Überzahl ein). Es kamen zu mir alle, die sonst von anderen Verlegern mit der Motivierung abgelehnt wurden: »Ihr Buch ist gut, infolgedessen findet es kein Publikum und wir können es zu unserem Bedauern nicht bringen.« Und doch müssen gewisse Menschen aus ihrem inneren Muß schreiben. Die Universalität des Verlages kam einfach ohne jedes Programm aus der Absicht, dem Leben zu dienen und Geburtshelfer am schöpferisch Neuen zu sein. Denn es regte sich bereits seit der naturalistisch-literarischen Revolution um 1890 allerlei Neues in Deutschland, dem sich dann die Revolution auf dem Gebiet des Kunstgewerbes um 1895 anschloß.

Also ich zog nicht hinter den im voraus gangbaren Tagesgrößen her, sondern betreute die noch Unbekannten. Aber ich ging auch manch eigenen Weg durch Aufträge, denn ein Verleger, der keine Bücher anzuregen weiß, ist von vornherein nicht zum Verlegen geboren. Nach dreijähriger Arbeit in Leipzig versandte ich im Januar 1900

zur Jahrhundertwende folgendes schön in Morrisgotisch auf altertüm-
lichem Bütten gedruckte Programm an den Buchhandel:

Zur Jahrhundertwende!

Als führender Verlag der Neuromantik möchte ich betonen, daß
diese nicht mit der Dekadenzrichtung in der Literatur zu verwechseln
ist. Nicht das Primitive, nicht eine weltfremde Träumerei bevorzugt
die neue Geistesrichtung, sondern nach dem Zeitalter des Spezialisten-
tums, der einseitigen Verstandeskultur will sie die Welt als etwas
Ganzes betrachten und gestalten. Indem sie das Weltbild wieder intuitiv
faßt, überwindet sie die aus der Verstandeskultur hervorgegangenen
Erscheinungen des Materialismus und Naturalismus. Die Romantiker
am Anfang des 19. Jahrhunderts bekämpften die kalte Glätte der Antike und glaubten im Mittelalter, zu dem sie Sang und Sage zurück-
brachte, eine natürlichere Menschheit zu finden. Wir Modernen suchen
aber unsere Ideale in der Zeit, wo die Volkskraft sich in den ungebro-
chenen Naturen des humanistischen Zeitalters entfaltete. Auf diesem
Wege sollen meine Monographien zur deutschen Kulturgeschichte einen Markstein bilden, und in wenigen Jahren wird die Zeit des 15.
und 16. Jahrhunderts nicht bloß in den Köpfen der Gelehrten, sondern
auch in denen des Volkes wieder einen Platz haben. Die Altromantiker
strebten nach viel Wissen, nach Universalmenschentum, und indem
sie ihre Ideale nicht bloß zu denken, sondern auch zu leben trachteten,
beseelten sie ihre Kenntnisse. Auf gleichem Weg wird auch die Neuromantik wandeln, wenn sie wieder an die Natürlichkeit, Ursprünglich-
keit, Kunst und Daseinsfreude der Menschen aus dem Zeitalter des
Paracelsus und Dürer anknüpft. Sie wird den von Nietzsche mit Recht
gebrandmarkten Bildungsphilister, der sich nur mit den Lappen der
Kultur behängt hat, überwinden und zur künstlerischen Kultur des
20. Jahrhunderts erziehen. Die Sehnsucht der Seele nach etwas, das
dem Leben Sinn und Inhalt gibt, führt zuerst zur innerlichen Vertiefung. Aus dieser heraus entwickelt sich der Mensch nach Goethes
Beispiel zum Einklang mit der Umgebung; denn das mit Bewußtsein-
Leben führt zur Ausbildung vorhandener Kräfte und Anlagen, zu dem
gesunden fröhlichen Menschen, dessen eigenes Leben ein unbewußtes
Kunstwerk ist. Kein totes Wissen mehr, sondern es soll sich mit der

27

Kunst vereinen, um den Menschen zu formen und ihn zur praktischen Betätigung zu führen. Nur dadurch hat Ruskin der englischen Kultur ihre jetzige einflußreiche Stellung gegeben.

Was ist uns heute Ruskin! Nur wer damals in und mit der Zeit gelebt hat, weiß, daß niemand ihn recht kannte. Aber sein Name hatte den Ruf eines alttestamentlichen Propheten, der hellhörig genug war, um das Reden der Steine von den gotischen Palästen in Venedig zu verstehen. Sein Denken war sozusagen der mystischreligiöse Untergrund der neuen künstlerischen Bewegung.

Ich muß heute über meinen derartig formulierten Glauben an eine kommende künstlerische Kultur, die zwölf Jahre vorher der Rembrandtdeutsche prophezeit hatte, ein wenig lächeln. Der Name Paracelsus hat für mich in dem Augenblick, wo ich mich anschicke, ihn in der Linie Gott-Natur zum zweitenmal herauszubringen und ihn weiter auch noch für die heutige Medizin durch praktische Anmerkungen zum fruchtbaren Anstoß werden zu lassen, eine andere Note. Sie bedeutet: Nicht den Individualismus des Humanismus, sondern das Alleinheits- und Gemeinschaftsempfinden der Gotik.

Ein paar Jahre später, bei der Übersiedlung nach Jena im Frühjahr 1904, gab ich den ersten zusammenfassenden Verlagskatalog als Abschluß meiner Leipziger Verlagstätigkeit heraus, dort ist schon das Verlagsprogramm wesentlich reifer formuliert, denn mit 1902 setzten die ersten Bücher in religiöser Richtung mit Arthur Bonus und Albert Kalthoff im Verlag ein, und 1903 erschien bereits Meister Eckehart.

Es heißt dort:

»Wir befinden uns in einem Zeitalter, das aus der Veräußerlichung der letzten Jahrzehnte heraus will, dem innere Freiheit und schöpferische Individualität wieder als Ideal vor Augen stehen, wir empfinden wieder die Kunst in ihrer Verwandtschaft mit der Religion, wir erkennen als Inbegriff unserer sozialen Idee solche Lebensbedingungen, die in jedem Menschen seine Anlagen ausreisen lassen. So manche Bücher des Verlages suchen bewußt den Weg zu einer neuen deutschen Kultur, andere verbreiten sauerteigartig neue Ideen, aber wenn sie auch meist in die Zukunft weisen, wollen sie doch dem gegenwärtigen Leben dienen. Unsere geistige Entwicklung sucht diese Anknüpfung an die Tradition und will sich nicht mehr begnügen, die ewigen Menschheitsprobleme in zufällig subjektiver Stimmung zu sehen und nur über vergangene Denker etwas zu hören, sondern sie will an den Quellen der Vergangenheit selbst trinken. Die größten Hindernisse für die Entwicklung der Persönlichkeit sind augenblicklich außer der Erstarrung des religiösen Lebens innerhalb der Kirche die Wissenschaft, soweit sie das Gefühl der Zusammengehörigkeit mit dem Leben verloren hat und die Herrschaft der Ideenwelt nicht anerkennt, sowie die 29 deutsche Schule, die mit ihrer ›Methode‹ das selbständige Instinktleben des Kindes tötet und in erster Linie Schuld daran trägt, daß unserer Zeit die Charaktere fehlen. Ich hoffe aber nicht in erster Linie allein Kampfesbücher gegen die Erstarrung der drei Mächte: Kirche, Wissenschaft und Schule in Zukunft zu bringen, sondern Bücher, die zugleich positiv aufbauen und den tief im Menschen liegenden inneren Kräften Nahrung geben. Ja, ich hoffe sogar, daß sich hier in Thüringen ein Kreis von Männern finden wird, die der Frage der Volkserziehung näher treten. Die sich nicht begnügen, fertige Wissensbrocken oder endgültige Urteile hinzuwerfen, sondern die das Schöpferische im Menschen wecken, indem sie seine Phantasie lebendig gestalten lassen. Denn das Gewissen unserer Zeit, das in den Tagen unseres größten geistigen Tiefstandes und der Veräußerlichung sich in Friedrich Nietzsche verkörperte, schlägt jetzt in allen denen, die sich gedrungen fühlen, für eine neue deutsche Kultur ihr Bestes einzusetzen.«

Der Katalog enthielt zwölf Gruppen, jede mit einer besonderen Einführung von einem Autor. Er war kein Geschäftskatalog, sondern ein Bekenntnis zukünftigen Wollens und zugleich eine Abrechnung über geleistete Arbeit. Das Titeldiati hatte Hans Thoma gezeichnet, es stellte einen Sämann auf gepflügtem Acker dar, umgeben von den zwölf Figuren des Tierkreises.

Der Verlag stand jetzt auf zwei, nein, sagen wir zwölf Beinen. Sie nannten sich:

I. Griechische Kultur
II. Romanische Kultur
III. Deutsche Mystik
IV. Deutscher Humanismus
V. Deutsche Geschichte und Kultur
VI. Deutsche Romantik und ältere Literatur

VII. Philosophische Neukultur
VIII. Friedrichshagener Kreis

IX. Religiöse Kultur
X. Soziales Leben, Erziehung und Rassenfrage
XI. Künstlerische Kultur
XII. Schöne Literatur

In Gruppe I, Griechische Kultur, war die Plato-Gesamtausgabe begonnen. Plotin, Epiktet, Marc Aurel schlossen sich an. Seneca und die Vorsokratiker waren als in Vorbereitung angezeigt. Heinrich Gomperz und Karl Joel hatten Bücher über die griechische Lebensauffassung geschrieben. Von Walter Pater lagen zwei Essaybände über die griechische Mythologie und Plato vor.

Gruppe II, *Romanische* Kultur, umfaßte die Namen Leonardo, Giordano Bruno, Sankt Franziskus, Pico della Mirandola.

Gruppe III, *Deutsche Mystik.* Erschienen waren bereits Meister Eckehart, die Deutsche Theologie, Comenius und Angelus Silesius. In Vorbereitung waren Tauler und Suso.

Gruppe IV, *Deutscher Humanismus.* Als erster Vertreter war Paracelsus in zwei Hauptwerken erschienen. Die Gespräche von Erasmus waren in Vorbereitung.

Gruppe V, *Deutsche Geschichte und Kultur.* Ihr Mittelpunkt waren die zwölf Bände der von G. Steinhausen herausgegebenen, mit alten Holzschnitten reich illustrierten Monographien zur deutschen Kulturgeschichte samt dem großen zweibändigen Bilderatlas »Deutsches Leben der Vergangenheit in Bildern«. Hans Blum, die Revolution 1848 war ja das erste große erfolgreiche Verlagswerk gewesen. Die große illustrierte Geschichte des deutschen Badewesens von A. Martin war in Vorbereitung.

Gruppe VI, *Deutsche Romantik und ältere Literatur.* Sie gruppierte sich um die Reihe »Erzieher zur deutschen Bildung«. Novalis und Hölderlin waren in ihren gesammelten Werken zum erstenmal wieder herausgegeben. Kein Literarhistoriker hatte bis dahin die allgemeine Aufmerksamkeit auf sie gelenkt. Hölderlin war nur bei Reclam zugänglich, Novalis überhaupt nicht. Christian Günthers Stimme tauchte aus

völliger Vergessenheit heraus. Eckermanns Gespräche (Adolf Bartels) und der Briefwechsel zwischen Schiller und Goethe (Chamberlain) waren ebensowenig allgemein zugänglich und wurden darum mit Absicht neu herausgebracht.

Gruppe VII, *Philosophische Neukultur.* Sie gruppierte sich um Maeterlinck. Leopold Ziegler war mit seinen ersten zwei Werken vertreten, Heinrich Gomperz brachte seine Weltanschauungslehre.

Gruppe VIII, *Der Friedrichshagener Kreis,* bestand aus den Namen Wilhelm Bölsche, Bruno Wille, Julius Hart und Willy Pastor.

Gruppe IX, *Religiöse Kultur,* enthielt Bücher neuen religiösen Geistes von Arthur Bonus, Albert Kalthoff, Eugen Heinrich Schmitt. Dazu traten die sozialethischen und theologischen Schriften Leo Tolstois zum erstenmal zu einer stattlichen und sorgfältigen Gesamtausgabe vereint.

Gruppe X, *Soziales Leben, Erziehung und Rassenfrage,* zeigte die erste Arbeiterbiographie der von Paul Göhre herausgegebenen Arbeitererinnerungen (Carl Fischer), mehrere Bücher von H. Driesmans zur Rassenfrage und von Arthur Bonus die wichtige Kritik »Vom Kulturwert der deutschen Schule«.

Gruppe XI, *Künstlerische Kultur.* Sie ging von der fünfzehnbändigen Ausgabe von Ruskins Schriften aus, und es schlossen sich an vier Bücher von Paul Schultze-Naumburg, darunter das grundlegende Buch über die Kultur des weiblichen Körpers. Nenne ich nur weiter noch die Namen Peter Behrens, Lothar von Kunowski, Hermann Obrist, Hermann Muthesius, Fritz Schumacher, Isadora Duncan, Rudolf Kautzsch und Max Martersteig, so steht dem, der jene Zeit mit erlebt hat, jene künstlerische Bewegung vor Augen zu Anfang des neuen Jahrhunderts, von der Kunstgewerbe und Architektur noch heute befruchtet sind.

Gruppe XII, *Schöne Literatur.* Sie umfaßt u.a. die Namen Ferdinand Avenarius, Wilhelm Holzamer, Ricarda Huch, Kurd Laßwitz, Carl Spitteler, von dem schon alle vier Bände des Olympischen Frühlings vorlagen, Helene Voigt-Diederichs, Leopold Weber. Nicht zu vergessen: 32 Jens Peter Jacobsen, Stendhal und die Russen: Tolstoi, Gorki und Tschechow in gesammelten Werken.

Daß ich an dieser Stelle sozusagen eine Bestandsübersicht meines Verlages bei Beginn meiner Jenaer Tätigkeit gebe, hat den Zweck, klarzulegen, was in einer ganz bestimmten kulturellen Zeitepoche in Deutschland seitens meines Verlages geschah. Der Literarhistoriker von heute und mit ihm der Zeitungskritiker sieht in der Regel auf ein paar literarische Namen, wenn er die Zeit um die Jahrhundertwende schildert, und weiß nur oberflächlich um die anderen geistigen Strömungen um die Jahrhundertwende Bescheid. Denn in der Regel hat er sie noch nicht miterlebt, und dann fehlt auch noch das Werk, das die geistigen Tendenzen jener Zeit zusammenfaßt. So kommt es auch, daß der dreißig oder vierzig Jahre alte Buchhändler von heute oft zu glauben pflegt, die Entwicklung modernen Denkens setze mit seinen Erinnerungen ein. Je jünger aber er ist, desto mehr glaubt er, vor der Existenz seines Ichs sei einfach ein Vakuum.

Die älteren Buchhändler werden sich aber noch gut erinnern, welches gewaltige Aufsehen mein im Herbst 1897 erschienenes Verlagswerk Hans Blum, »Die deutsche Revolution 1848«, machte oder der durch Melchior Lechter so seltsam ausgestattete »Schatz der Armen« von Maeterlinck. »Gut frisierte« statt autorisierte Ausgabe hatte ein Kritiker gelesen. Wilhelm Bölsches »Liebesleben«, Maeterlincks »Leben der Bienen«, Jens Peter Jacobsen und Tolstoi waren in meiner Leipziger Zeit die Bücher eines ausgesprochenen Erfolges. Weniger gut ging es verlegerisch mit den Monographien zur deutschen Kulturgeschichte, die fast mein ganzes, nicht allzu großes Barvermögen schon im zweiten Verlagsjahr verschlungen hatten. Hatte ich doch etwa 4000 Klischees für 24 Bände im voraus angefertigt. Es war ein mühseliges persönliches Sammeln an allen deutschen Kupferstichkabinetten vorhergegangen. Ich kam erst bei ihnen nach fünfzehn Jahren auf meine Kosten. Dadurch war ich genötigt, meinen Verlag fast nur auf Kredit aufzubauen, was nur dadurch möglich war, daß man erst nach einem Jahr zur Ostermesse seine Rechnungen an die Lieferanten zu bezahlen brauchte. O gute, alte Zeit!

Solange ich in Leipzig lebte, hieß es entweder dort, oder in München, oder in Berlin, der Diederichs ist nächstens Pleite, trotzdem ich meine *O.M.*-Rechnungen immer pünktlich bezahlte. Der Grund war der, meine Buchausstattung stach so vom Allgewohnten ab und nahm so gar keine Rücksicht auf den Geschmack des breiten Publikums, daß es klar war – es mußte mit mir schief gehen.

Daß ich über meine neuen Grundsätze in der Buchausstattung einmal in jener Zeit Leipziger Kollegen einen Vortrag hielt, brachte mir kürzlich eine Schülerin von dem Professor der Kunstgeschichte an der

Frankfurter Universität, Rudolf Kautzsch, in Erinnerung. Jener hatte dem Vortrag mit beigewohnt, denn er war damals Leiter des dortigen Buchgewerbemuseums. »Der Diederichs ist ein toller Kerl«, hatte er zu ihr gesagt. »Wie hat er das begründet?« fragte ich. Er hatte ihr von jenem Vortrag erzählt und gesagt: »Denken Sie sich«, er schloß nach anderthalb Stunden mit den Worten: »*Und dann, meine Herren, man kann bei diesen künstlerischen Grundsätzen sogar geschäftlich verdienen.*« – »Ein toller Kerl«, mit diesen Worten hatte Kautzsch nochmals das Gespräch geschlossen.

Wie war ich zu solch ketzerischen Anschauungen und entsprechendem Tun gekommen? Ich kann nur bestätigen: Nicht aus geschäftlicher Kalkulation, sondern aus innerem Muß stellte ich mich gegen meine buchhändlerische Umwelt. Ich schöpfte aber mein Vertrauen weniger aus einem selbstbewußten Gefühl der Originalität als aus der einfachen Tatsache, daß in der Welt der jüngeren Künstlergeneration ein neuer Geist aufgestanden war, der sich bereits auf anderen Gebieten auswirkte. Peter Behrens, Eckmann, Pankok u.a. hatten bereits kunstgewerblich einen wohlbegründeten Ruf, als der Buchhandel noch völlig schlief.

Als ich mit Verlegen anfing, war die Situation in der Buchausstattung im Buchhandel folgendermaßen: Der führende moderne Verlag von S. *Fischer* druckte in der damals üblichen Weise teilweise auf Holzpapier, *Albert Langen* fing an, mit seinen Simplizissimuszeichnern effektvolle Umschläge zu gestalten, Schuster *Löffler* ging auf Anregung von Otto Julius Bierbaum den gleichen Weg, um das Innere des Buches kümmerte sich noch niemand. Der *Insel-Verlag* setzte aber erst 1901 mit seinem damaligen Leiter Rudolf von Pöllnitz konsequent ein, der mir bis dahin in meinem Verlag treu als Helfer zur Seite gestanden hatte (es gab vorher nur ein paar Vorversuche, bei denen Bierbaum Pate stand). Die beiden Gedichtbände von E.R. Weiß und das Gedichtbuch »Stimmen und Bilder« von Avenarius, mit »Buchschmuck« von J.V. Cissarz, waren die ersten Vorboten meiner Buchausstattung. Cissarz hatte auch einen symbolischen Umschlag zu Hans Blum gezeichnet, der so »außergewöhnlich« war, daß die Polizeibehörde einer sächsisch-thüringischen Stadt verbot, ihn in Plakatform anzukleben.

Da hielt Peter Jessen im Herbst 1898 im Leipziger Buchgewerbehaus für alle Buchhandelsangehörigen, Chefs, Angestellte und auch Buchdrucker zahlreich besuchte Vorträge mit Lichtbildern über die ältere deutsche Druckkunst. Ich erinnere mich noch deutlich, es lag wie eine Feiertagsstimmung über den Zuhörern, soviel nicht Gewußtes und Schönes ging ihnen auf. Im Schlußvortrag, in dem Peter Jessen bis zur Gegenwart kam, zeigte er zuletzt die Druckseiten zweier Bücher meines Verlages mit dem Lichtapparat an der Wand: »Julius Hart, Stimmen in der Nacht«, mit Schmuckstücken von Bernhard Pankok und »Maeterlinck, Schatz der Armen«, in Ausstattung von Melchior Lechter. »Hier, meine Herren, haben Sie die ersten Bücher der Neuzeit, die das erfüllen, wovon ich zu Ihnen spreche«, waren die begleitenden Worte.

Schon bei Beginn der künstlerischen Bewegung hatten wir in Deutschland entdeckt, was England in den letzten Jahren durch William Morris und Walter Crane in der Wiederanknüpfung an die mittelalterliche Druckkunst geleistet hatte. Nichts lag näher, als den gleichen Weg zu gehen oder auch nachahmend an die deutsche Druckkunst des 16. Jahrhunderts anzuknüpfen. Was etwas anderes ist, als das gedankenlose äußerliche Ausgraben der Renaissanceschmuckleisten in Parallele zu den nachgeahmten Renaissancemöbeln jener Zeit.

Ich rechne es mir als ein besonderes Verdienst an, daß ich jeden Gedanken an Nachahmung von vornherein ablehnte. Es kam mir darauf an, den jungen Kräften der Bewegung Aufgaben zu stellen, an denen sie sich entwickelten. Es war gemeinsam mit ihnen ein mühevolles Tasten, denn sogar jede Broschüre sollte originell sein, bis ich dann hauptsächlich durch die Mitarbeit von F.H. Ehmcke, der 1903 sein erstes von ihm gestaltetes Buch, die Portugiesischen Sonette der Elisabeth Browning, bei mir veröffentlichte, in die Bahn bestimmter Buchtypen kam. Es zeichneten außer den oben genannten Pankok und Lechter noch Julius Diez, Otto Eckmann, Robert Engels, Paul Haustein, Rudolf Koch, Erich Kuithan, Ernst Kreidolf, W. Müller-Schönefeld, E. Orlik, Horst Schulze, Ernst Schneidler, Hans Thoma, Otto Ubbelohde, Heinrich Vogeler, E.R. Weiß u.a. in der Leipziger Zeit und in den folgenden Jahren für meinen Verlag. Die meisten Bücher stattete in den Anfangsjahren J.V. Cissarz aus.

Auch alle Fakturen, Rechnungszettel usw. wurden künstlerisch gestaltet, und die Remittendenfakturen zu *O.M.* trugen aktuelle Verse. Es wurden auch Versuche mit farbigem Letterndruck gemacht. Aber bald kam der Buchschmuck in Verruf und Otto Julius Bierbaum protestierte zuerst gegen diesen »Buchschmutz«, wie er ihn nannte. Denn die Gießereien hatten eine neue Mode gewittert und überschwemmten nun die modern werden wollenden Verleger mit den geschmacklosen Nachahmungen der Originalkünstler durch ihre Zeichner. Zuletzt kam dann hauptsächlich durch van de Veldes Einfluß der sogenannte Jugendstil auf.

Bald wandte sich aber die Bewegung durch die vorbildlichen Leistungen der Gießerei Klingspor in Offenbach in die künstlerisch rechte Bahn durch das Zeichnen neuer Schriften seitens der Künstler. 1900 36 druckte ich das erste Buch in der neuen Eckmanntype (Martersteig, Der Schauspieler). Als nächster schnitt dann Peter Behrens eine neue monumentale Schrift und verdrängte damit die Morris-Gotisch, die aus England eingeführt war. Gestaltung eines geschlossen wirkenden Satzbildes verbunden mit richtiger Stellung auf der Papierseite und damit allerhand typographische Wirkungen waren jetzt die Folge. Die Bewegung war auf dem Umweg über das Extrem des Jugendstils jetzt auf die rechte Bahn gekommen.

Was den Einband betrifft, so ging seine künstlerische Entwicklung langsamer. Der Verleger war gewöhnt, diese Frage seinem Buchbinder zu überlassen, der ihm mehrere Muster vorzulegen hatte. Der Buchbinder legte aber den Hauptwert auf möglichst viel Gold, die Qualität und Farbe des Kalikos war Nebensache. Die Zeichnungen besorgten angestellte Zeichner in Nachahmung nach älteren kunstgewerblichen Verlagswerken. Man war der Meinung, das Publikum wolle nichts anderes haben, und es bekam ja auch nichts anderes zu kaufen.

Darum war die erste Sorge der modernen Bewegung, die entsprechende Naturleinwand in schönen Farben aus England zu beziehen und den Künstler, der die Innenausstattung besorgte, auch zum Einband heranzuziehen. Farbiger Aufdruck auf schönem Material bedeutete allein schon Geschmacksrevolution. Und nun gar Ganzleder- und Ganzpergamentbände – die Haare der Vertreter des altbewährten Geschmackes sträubten sich. Aber es half ihnen nichts, das Publikum war mit dem neuen Aussehen der Bücher sehr zufrieden. Es war die beste Werbung, die mir ungewollt in den Schoß fiel, meine Verlagswerke stachen jahrelang von allen anderen Büchern im Laden ab. Und dann noch die Neuerung einer Buchbinde mit Text, die abnehmbar war, und Fadenheftung statt Stahlklammern. Und dann das englische

Alfapapier. Ja, was später alles selbstverständlich war, es mußte erst
ausprobiert und sozusagen durchkämpft werden.

Die Jenaer Verlagstätigkeit bis zum Weltkrieg

Es war ein Sonderzug von etwa zwanzig Güterwagen, der sich Ende
März 1904 von Leipzig nach Jena zur Übersiedlung in Bewegung
setzte, angefüllt mit Bücherballen, sperrigen Regalen, Kontormöbeln
und dem Hausmobiliar des Chefs und der etwa acht bis zehn Angestellten, die samt und sonders mit übersiedelten und froh waren, der
Großstadt zu entrinnen.

Der Entschluß und die Durchführung zur Übersiedlung kam ganz
plötzlich, im ganzen dauerte es nur etwa vierzehn Tage. Ich wollte
einfach aus allerlei persönlichen Gründen mich in eine Kleinstadt
verpflanzen, und Jena schien als Universitätsstadt mir als geborenem
Thüringer am geeignetsten. Auch zog mich seine klassische Tradition.
Aber es währte noch zwei Jahre, ehe ich in mein jetziges Geschäftshaus
am Carl Zeiß-Platz, als unmittelbarer Nachbar der Weltfirma Carl
Zeiß, am 1. April 1906 übersiedeln konnte. Vorerst mußte die erste
Etage in der »Hopfenblüte«, einer Gastwirtschaft in der Jenergasse,
genügen.

Die Jenaer zehn Jahre bis zum Weltkrieg ergaben den eigentlichen
Ausbau des Verlages, dessen Stellung im deutschen Verlagswesen zuletzt seine bevorzugte Stellung in der Kulturhalle der Bugra in Leipzig
1914 zum Ausdruck brachte. Er wurde von dem Leiter der kulturge-
schichtlichen Abteilung dieser Buchweltausstellung, dem bekannten
Geschichtsprofessor Karl Lamprecht an der Leipziger Universität, als
der einzige deutsche Verlag ausersehen, der in einer systematischen
Entwicklung des Schreib- und Buchwesens von der ältesten Zeit bis
zum Heute in der Halle der Kultur die Gegenwart zu verkörpern hatte.
Eine Art Kapelle, stimmungsvoll durch ein paar Naumburger Domfi-
guren geschmückt, zeigte den Aufbau des Verlages in innerlich zusammenhängenden Gruppen. Oben an den vier Wänden des in einer Art
romanischer Formensprache und in bläulichem Licht gehaltenen
Raumes liefen als Fries die überlebensgroßen Köpfe seiner hauptsäch-
lichsten Autoren in Photographien. Über dem Eingang hingen in

rundem Kreis die beiden Köpfe seiner beiden wichtigsten Buchkünstler
E.R. Weiß und F.H. Ehmcke.

Lamprecht hat sich damals geäußert, seine Einstellung zu meinem Verlag sei der Auftakt zum Vorschlag an die Leipziger Universität, mir den Doktortitel zu verleihen. Der Krieg kam dazwischen und 1924 hat dann die Kölner Universität diese Auszeichnung nachgeholt.

Es ist nicht meine Absicht, in diesen Blättern eine Verlagsgeschichte zu geben, sondern nur den Zusammenhang des Verlages mit seiner Zeit zu schildern. Der Leser habe also keine Angst vor Büchertiteln. In dem Jubiläumsalmanach von 1921 ist eine genaue Übersicht über die Verlagsproduktion nach den Jahren gegeben. Aber es ist nun einmal so, meine eigene innere Entwicklung geht meinem Werk parallel. Gar manche Bücher habe ich in Auftrag gegeben, weil ich für mich selbst wünschte, auf diesem Gebiet klar zu sehen und zu lernen, ebenso sprach manche persönliche Berührung oder auch manche Reise ins Ausland mit bei der Auswahl der Verlagswerke. Man hat das Wenigste aus sich selbst und verdankt seine Entwicklung anderen Menschen.

Die Spanne meiner persönlichen Weltkenntnis hatte sich seit der Verlagsgründung wesentlich erweitert. Sie ging von Island bis zum Kaukasus. Der germanische Norden war mir fast eine zweite Heimat geworden, zumal Kopenhagen. Aber auch in den vlämischen Städten fühlte ich mich heimisch, und die Reize der Weltstadt Paris oder des Engadins ließen mich manche Unvollkommenheit Jenas fühlen, das aber trotzdem die schönste Stadt der Welt für mich ist. Aber auch der Süden übte seine unveränderte Anziehungskraft aus, und es war mir sehr feierlich zumute, als ich auf der Akropolis stand oder in der Hagia Sophia in Konstantinopel. Der Verlag hatte auch den Kreis seiner ausländischen Autoren wesentlich erweitert, und als der Krieg ausbrach, hatte ich einige wichtige Staatsmänner unserer Gegner, wie Lloyd George und Masaryk, zu Autoren. Der Verlag war auch über Deutschlands Grenzen hinaus bei den Lesern bekannt geworden. So fuhr ich 1912 eines Tages von Belgrad auf dem österreichischen Lloyddampfer über Orsowa nach Turn Severin in Rumänien. Auf dem Schiff waren kaum ein halbes Dutzend Passagiere, wir wurden schnell bekannt. Als mich der eine, ein stattlicher älterer Mann mit schwarzem Vollbart, den ich für einen echten Rumänen hielt, nach dem Zweck meiner Reise fragte, sagte ich etwas ausweichend: »Ich bin ein deutscher Verleger und will jetzt die Kultur der Balkanvölker studieren.« – »Da sind Sie wohl Eugen Diederichs?« fragte mich mein Partner. Ich war baß erstaunt und fragte: »Woher kennen Sie als Rumäne meinen Namen?« – »Ich bin«, antwortete er, »ein in London selbständiger deutscher Kaufmann, der hier in Geschäften reist.« Schon ein paar Tage früher war ich in der Bahn von Budapest bis Belgrad mit einem jungen Bankbeamten aus Temeswar ins Gespräch gekommen, einem Ungarn. Als ich ihm erzählte, daß ich in Jena wohne und ein Verleger sei, fragte er: »Da heißen Sie wohl Eugen Diederichs?« Nicht einmal in dieser dunklen Ecke Europas war man seines Inkognitos sicher. Fast noch merkwürdiger war, als im Nachtzug von Odessa nach Kiew einige Wochen später mein Gegenüber sich als russischer Buchhändler entpuppte und mir auf den Kopf zusagte, ich sei Eugen Diederichs aus Jena. »Woher wissen Sie denn das?« Da gab er mir lächelnd zur Antwort, als ich hinausgegangen sei, habe er das Schild auf meinem Koffer im Gepäcknetz gelesen. So geht manchmal auch das Wunderbare mit natürlichen Dingen zu.

Ich habe eingangs erwähnt, der Verleger müsse mit den Menschen seiner Umgebung außerhalb seines Berufes Gemeinschaft suchen. In der Großstadt ist der Mensch vereinzelt, hier in Jena ergab sich das von allein. Ich meine damit nicht den üblichen geselligen Familienverkehr oder die Vereinsmeierei. Kaum war ich in Jena etwas warm geworden, kämpfte ich als Führer einer Heimatschutzgruppe, die die dortigen jungen Künstler und Architekten umfaßte, gegen Stadtverschandelung und suchte die künstlerische Seite des Lebens gegenüber der in einer Universitätsstadt gewohnten Alleinherrschaft der Wissenschaft zu vertreten. Schon 1905 ließ ich mir von der weimarischen Regierung die zum Abbruch bereiten Räume des alten Jenaer Residenzschlosses, das dem Neubau der Universität Platz machte, für einen Sommer lang zur freien Verfügung stellen und etablierte dort eine gar nicht so unbedeutende kunstgewerbliche Ausstellung der führenden deutschen Firmen. Ohne jede Unterstützung der Stadt oder des Jenaer Handwerks, das mir sehr übelnahm, daß ich fremde Konkurrenz in die Stadt herbeizog, ohne es zur Mitwirkung einzuladen. Nun, es war kein kleines Risiko, das alles auf eigene Kappe zu machen, aber das Defizit war tragbar. Sie wurde etwas gewaltsam »Schiller-Gedächtnis-Ausstellung« genannt und eine besondere Stube war daher ihm mit den entsprechenden Reliquien an seinen Jenaer Aufenthalt gewidmet. Die hauptsächliche Deckung der Unkosten geschah durch Vorträge. Den ersten hielt in höchsteigener Person der Urenkel Schillers, Alexander von Gleichen-Rußwurm. Er eröffnete auch die Ausstellung persönlich.

Jena ist eine Stadt der Jugend. So ergab sich von allein für mich ein Hineinwachsen in die Jugendbewegung, beginnend mit künstlerischen Sonnwendfesten, die ich von 1904 bis zur Jetztzeit geleitet habe. Wir haben in Deutschland infolge der Jugendbewegung eine Volkstanzbewegung gehabt; es wissen nur wenige, daß sie ihren Ursprung von diesen Sonnwendfesten auf den Hohen Leeden nahm. Der Wandervogel griff die Anregungen, die von unserem Kreise kamen, auf. Auch mancherlei Aufführungen haben wir auf jener Bergeshöhe gegenüber Dornburg mitten im Walde gehabt, manch gute Musik und künstlerischen Tanz. Und die Tradition aus jenen Tagen, die sich zu einer Reihe fester Gebräuche im »Serakreis« ausbildete, hält heute noch so weit vor, daß, nachdem dieser Kreis durch den Weltkrieg zerstreut ist (über die Hälfte seiner Teilnehmer liegt auf den Schlachtfeldern), mehrere Hundert einander fast fremder Menschen am Johannistag oben auf den »Hohen Leeden« sich heute noch als Gemeinschaft empfinden. »Sankt Johanne die Sunne wendt«, steht auf unserer Fahne, deren einziges Symbol das Sonnenrad war. Gar manchmal bin ich vor dem Krieg mit meinen jungen Freunden, den Studenten und Weimarer Kunstschülern und -schülerinnen als Vagantenvater ins Saaletal und noch weitergezogen, und es gefiel meinem Ältesten, der damals noch Abcschütze war, so gut, daß er nach einer besonders lustigen Fahrt fragte: »Vater, wann gehen wir wieder betteln?«

Niemand ahnte auch in dem farbigen Vagantenvater einen Verleger, nur manchmal meldete ich mich in den letzten Zeiten vor dem Kriege auf einem Rittergut, auf einem Schloß oder bei dem Bürgermeister einer kleinen Stadt mit der Bitte um polizeilichen Schutz an, wenn wir auf dem Marktplatz Theater spielen wollten. Denn es kamen auch verständnislose Ablehnungen unserer Besuche vor und das störte doch die Stimmung des Tages. Wenngleich wir uns immer stolz wie die Spanier fühlten und es als selbstverständlich betrachteten, daß uns der betreffende Rittergutsbesitzer im Leiterwagen auf das nächste Rittergut fahren ließ. Natürlich erst, nachdem er uns an festlicher Tafel im Garten mit einem schmackhaften Imbiß bewirtet hatte.

Die letzte Vagantenfahrt ging zu Frau Elisabeth von Heyking in Crossen an der Elster, der Enkelin Bettinas und Verfasserin der »Briefe, die ihn nicht erreichten«. Drei Diener in weißen Handschuhen empfingen uns am Eingang ihres Schlosses. Die mich begleitende Abordnung verlas, nachdem vorher die Trompete geblasen und das Viatikum stilgerecht gesungen war, im Schloßhof den gewaltig drohenden Pergamentfehdebrief (zu dem die Buchbinderei Hübel & Denck in Leipzig eine metallene, an rotem Band getragene stilgerechte Hülle gestiftet hatte) mit ihrem besänftigenden Beschluß. Bald saßen die verstaubten Gesellen von der Landstraße in ihren farbigen Schauben und mit ihren ebenso malerischen Bacchantinnen an reichbesetzter Tafel in einem wunderschönen Rokokospeisesaal und tranken kühle Bowle oder köstlichen Kaffee zu dem auf großen Tellern aufgehäuften Kuchen. Doch wir zogen nicht auf Vagantenfahrten, um zu schlemmen, sondern mehr, um in solcher Art zu geben, wie es den »Lustigen von Weimar und Jena« geziemte. Irgendein Hans Sachs-Stück im Freien machte den Anfang, dann kamen Volkstänze, dreistimmige Lieder erschollen und mancherlei wurde improvisiert. So waren wir auch einmal bei Max Klinger in seinen Jenaer Weinberg eingefallen. Zuerst wurde von einem benachbarten Weinberg aus angefragt, ob wir willkommen seien. Er lehnte ab. Aber es half ihm nichts, Vagantenrecht geht vor Ruhebedürfnis. Das Resultat nach einer guten Stunde war: der Meister holte höchst eigenhändig einige Flaschen selbstgezogenen Wein aus seinem Keller, plauderte lange mit uns und führte uns in Haus und Atelier herum. Später hörte ich dann durch einen gemeinsamen Bekannten, er hätte durch unseren Besuch eine schon vierzehn Tage andauernde Arbeitsunfähigkeit überwunden und könne nun wieder schaffen. Auch die Nachkommen der Frau von Stein in Schloß Großkochberg bedankten sich hinterher noch schriftlich für unseren Besuch.

Aber einmal, das muß ich noch erzählen, in einer schönen Sommernacht spät abends fiel die ganze Vagantenschar von einem Besuch des Unstruttals zurückkommend, mittels eines Lastautos in die Gästeschar des Hotels »Zum mutigen Ritter« in Bad Kösen ein. Paarweise hüpfend zogen wir unter dem Gesang »Freut euch des Lebens« in den mit Badegästen vollbesetzten großen Garten des Hotels. Es war uns tagsüber sehr gut gegangen und auch die Autofahrt war völlig gratis, wie es sich gehörte. Damit wir länger noch in der kleinen Stadt Freyburg dablieben, hatte sie uns ein Zuschauer unseres Spiels nicht nur zur Rückfahrt nach Jena gestiftet, nein, er fuhr das Lastauto, nachdem er die darauf befindlichen Ziegel hatte abladen lassen, sogar selbst. Anscheinend hatte es ihm irgendeine unserer Bacchantinnen angetan; es war ein junger belgischer Ingenieur. Die Gäste des Mutigen Ritters waren meist Berliner. Nein, so etwas hatten sie doch noch nicht erlebt und sie fragten mich heimlich, wer wir denn eigentlich wären. »Wir sind aus unserer lieben Universitätsstadt Jena und nehmen, was wir kriegen«, war meine Antwort – »wir sind Bacchanten.« Bald schlemmten wir im Überfluß. Der eine Gast bestellte eine Runde Bier, 43 der andere belegte Brote, soviel wir haben wollten. Auch große Tabletts mit gefüllten Kaffeetassen und Kuchenlettern tauchten auf. Das Geschäft ging vorzüglich. Die schönsten Mädel wurden dann noch extra herumgeschickt, um Geld sammeln zu gehen. Aber wohlgemerkt, wir verbrauchten nicht das Geld für uns, sondern es kam in eine gemeinsame Kasse für »Werbezwecke«. Um Mitternacht fuhren wir dann im Auto weiter nach Jena, die Tücher winkten beiderseits lange zum Abschied. Schon grollte in der Ferne der Donner. Wir hofften auf unser Glück. Doch Kirschkuchen! Bald saßen wir auf der Landstraße mitten im schönsten Gewitter, es ging bergauf bergunter. Schon vor Kösen waren die beiden Laternen ausgegangen, sie versagten, und wir hatten uns eine kleine Radfahrlampe in Kösen verschafft, die unser einziges mehr wie unvollkommenes Licht in der Dunkelheit war. Erst wenn es blitzte, sahen wir die Beschaffenheit der Landstraße, die von Regenbächen überströmt war. An Einkehr war nicht zu denken, erstens waren wir alle durchgeregnet bis auf die Haut, und zweitens waren auch die Wirtshäuser, an denen wir vorbeifuhren, alle bereits geschlossen. Eigentlich war es bei der schlüpfrigen Straße eine Fahrt auf Leben und Tod, aber das ward uns erst hinterher klar. Endlich kamen wir nach Dornburg, es war Gott sei Dank nur noch eine halbe Stunde Fahrt bis Jena. Aber der Gasthof war noch offen, die Mädels wurden gleich in Betten gepackt und am anderen Tage Wäsche und Kleider herausgeschickt. »Sie sehen aus wie Luther«, sagte einer der Bauern zu mir, als ich auf einen Augenblick ins Wirtshauszimmer ging. Denn wir alle gingen in mittelalterlichem Barett und trugen farbige Schauben. Als aber der Rest bei Morgengrauen in Jena einfuhr, wurden wir von den Jenensern durchaus nicht so freundlich empfangen, wie wir es doch verdient hätten. Wir fielen sofort der heiligen Hermandad auf, schon stand sie beim Absteigen am Wagen und konstatierte, daß er keine Nummer trug. Eine Strafverfügung an den unglücklichen Besitzer des Autos, der mit eiserner Gemütsruhe uns durch alle Gefahren geführt hatte und darum nur ihre Anerkennung verdient hätte, war der Ausgang dieser Vagantenfahrt.

Ich bin hier beinah etwas zu ausführlich ins Erzählen gekommen. Was haben die Vagantenfahrten mit dem Buchhandel zu tun? Nun, es hatten diese und ähnliche Erlebnisse sehr viel Zusammenhang mit meiner inneren Entwicklung. In dem Jahrzehnt der vierzig holte ich das unbefangene Jugenderleben nach, das mir mein Lebensschicksal in den zwanziger Jahren nicht vergönnt hatte.

So ergab es sich von selbst, daß der »Serakreis« zum großen Jugendfest auf dem Hohen Meißner 1913 als einer der Veranstalter mit einlud. Es fiel mir dabei u.a. die Aufgabe zu, die Pressevertreter zu bemuttern. Auf dem großen Werkbundfest 1914 aber, das auf einer Wiese unterhalb der Rudelsburg bei Bad Kösen stattfand, war »Sera« zusammen mit der Weimarer Kunstschule der abenteuerliche Mittelpunkt des Festes. Seine Leitung unter Beihilfe von mehreren Kanonen, einem berittenen Artilleriekommando aus Naumburg, etwa hundert Landsknechten und Marketenderinnen, ebensovielen Vaganten aus Jena und Leipzig, Clotilde van Derp als Tänzerin, des Leipziger Gewandhausquartetts und eine Schauspielergruppe lag in meiner Hand. Es gab eine sorgenvolle Zeit der Vorbereitung. Noch tags vorher goß es in Strömen. »Was wollen wir tun, wenn es morgen auch noch regnet«, fragte Freund Peschel, der künstlerische Leiter von Goethes »Fischerin« und Oberkommandant von zwanzig Fischerkähnen. »Ja, ich weiß keinen anderen Rat, als daß wir dann ein Familienbad in der Saale aufmachen«, war meine Antwort. Und siehe, am anderen Tage war das schönste Wetter. Abends fuhren die Gäste unter bengalischer Beleuchtung von der Rudelsburg und Burg Saaleck auf Flößen nach Kösen. Auf ihnen spielte in warmer Sommernacht das Gewandhausquartett.

Aber auch der buchhändlerischen Jugend war ich nicht fern. Pfingsten 1914 forderte mich der Jungbuchhandel auf, auf der Bugra über »den Buchhändlerberuf und die Fragen der modernen Kulturentwicklung« zu ihm zu sprechen. Und auch später in den Zeiten der Revolution wurde ich wieder vom Leipziger Jungbuchhandel eingeladen, einen die Kluft zwischen Angestellten und Chefs mildernden Vortrag im Buchhändlerhaus zu halten.

Aber ich ging in diesen Zeiten in meiner privaten Existenz nicht allein in der Jugendbewegung auf. Als Verleger hat man zu allerlei Kongressen und Veranstaltungen zu fahren. So hatte ich auch allerhand Landerziehungsheime zu betreuen, d.h. man fuhr nicht bloß einmal hin, sondern erlebte in persönlichem Verkehr mit den Leitern deren innere Entwicklung. Wie war doch lange Zeit bis zur Revolution der Name Wyneken kampfumtobt. Auch einige skandinavische Volkshochschulheime besuchte ich auf meinen Reisen. Schon 1902 war ich als Ehrengast zur Eröffnung der Darmstädter Künstlerkolonie geladen, da ich die Holzamerschen Festspiele für die Eröffnung verlegt hatte. Im Herbst 1907 lud ich mit elf Industriefirmen zusammen als zwölfter zur Gründung des Werkbundes nach München ein. Dalcroze trat mit seinen Bestrebungen in Hellerau in meinen Verlagskreis ein. Ich brachte die Jahrbücher dieser Bewegung und fuhr natürlich auch zu mancherlei Festspielen und Übungsstunden nach der neugegründeten Gartenstadt, deren allmähliche künstlerische Ausgestaltung ich mit großer Anteilnahme verfolgte. Man fühlte sich dem Bund der heimlich Verschworenen zugehörig – zumal bei den ersten noch etwas intimen Werkbundtagungen (später gewannen die Geschäftsleute die Überhand) – der schon damals ein anderes Deutschland als das der bequemen Phrase wollte, nämlich das Deutschland der Tat, das Deutschland, das nach vom Geist getragener Formung strebt. Später in und nach dem Kriege nahm dann die weitere Entwicklung der Körperkulturbewegung und das Volkshochschulwesen stark mein inneres Interesse in Anspruch. Beinahe alle bedeutenden deutschen Tänzerinnen der Gegenwart lud ich nach Jena zum Auftreten. Der Kunstverein besitzt ein Bild von Amiet, das aus ehrlich, als Veranstalter, verdientem Tanzgeld gekauft wurde; noch 1924 verdiente Edith von Schrenck für das abgebrannte Volkshochschulheim in Dreißigacker durch ein einziges Auftreten 600 Mark. Ein großer Betrag von mehreren tausend Mark, der mit Hilfe der Schwedenkurse unter mehrmaliger Mitwirkung der Bodeschule für die Jugendbewegung angesammelt wurde, ging leider durch die Inflation verloren. Natürlich betrachtete ich auch die Abhal-

46

tung von mancherlei Vorträgen meiner Autoren in Jena über bestimmte künstlerische und wissenschaftliche Themen als meine Aufgabe.

Es wäre nun wohl auch Zeit, von der Hauptsache, nämlich von der Entwicklung des Verlags in diesen zehn Jahren seines eigentlichen Aufbaus zu sprechen. Von spekulativen Neudrucken älterer, honorarfreier Werke habe ich mich stets zurückgehalten, ich brachte aus vergangener Zeit nur heraus, was bestimmten, neu auftretenden geistigen Strömungen als Rückhalt dienen sollte. Übrigens singen meine Bücher erst vom Jahre 1906 an, zugleich mit einer stark einsetzenden Tätigkeit des Verlags Georg Müller und der Insel in Neuausgaben älterer Werke, in größerem Maße gekauft zu werden. Das Jahr 1906 ist überhaupt ein Wendepunkt im Buchabsatz gewesen. Es war, als wenn Deutschland auf einmal reich geworden sei, die sprichwörtliche Knauserigkeit im Bücherkaufen hörte auf. Einerseits hob sich nach zehnjähriger Pioniertätigkeit einiger Weniger mit einemmal das Niveau der allgemeinen Ausstattung, der Begriff vom »schönen Buch« entstand und lockte zum Sammeln. Es begannen nun aber auch viele wesentliche Bücher, nicht bloß aus dem Gebiet der schönen Literatur, in einer Reihe deutscher Verlage zu erscheinen.

Die sozialen und künstlerischen Anschauungen vertieften sich, schon fand die Mystik Boden. Der rationale Glaube an eine stetige Höherentwicklung der Menschheit fing an mit dem Eindringen der Philosophie Bergsons in Deutschland in eine irrationale Auffassung hinüberzuleiten, und man sprach nunmehr von schöpferischer Entwicklung, vorher

waren die Parole. Schon um die Jahrhundertwende war an Stelle des bis dahin zugkräftigen Schlagwortes »Weltanschauung« das Wort »Kultur« getreten. In der liberalen Theologie begann die Konzentration des religiösen Denkens auf die menschlich vorbildliche Persönlichkeit von den Histo-
den

Neuhumanismus, der sich auf wirkliches Ins-Volk-Dringen u. Klassiker aufbauen würde, würde herauskommen. Ja, der Name Fichte diente in Wickersdorf und anderen modernen Schulheimen direkt als

Programm. Auch das Bild des Dichterfürsten Goethe begann sich bereits mehr in das Menschliche umzuwandeln. Kurz, es lag wie eine Vorfrühlingsstimmung über Deutschland und etwa 1910 brach die Wiedererweckung des deutschen Volksliedes durch den Wandervogel durch. Ich weiß noch ganz genau, wie schwer ich es zu Anfang hatte, meinen studentischen Serakreis, der sich zuerst aus der freistudentischen Bewegung entwickelte, die um 1908 an der Jenaer Universität aufkam, zum Singen von Volksliedern zu bewegen; mit einemmal war im neuen Semester alle Bereitschaft dazu da, und das Gedichtevorlesen trat in der Geselligkeit zurück.

Gewiß sind später auch bei Beginn der Revolution manch äußere Hemmungen, die von verkalkter Tradition ausgingen, beseitigt worden, das Schöpferisch-Fruchtbare, das herauf zu kommen schien, war aber nichts anderes als der Widerschein des vergangenen Vorfrühlings vor dem Kriege. Um diesen Widerschein aber gab es reichlich Geschrei zumal von jenen, die früher von dem Neuen in der Zeit nichts gemerkt hatten, denn neue geistige Bewegungen sind nie Massenbewegungen.

Zu den neuen Bewegungen vor dem Kriege gehörte aber auch schon die Besinnung auf das Wesen unseres Volkstums und die Sehnsucht nach Gemeinschaft gegenüber dem nur das eigene Selbst genießenden Subjektivismus.

Aber auch der Snobismus und eine gewisse Großstadtdekadenz blühte gleichzeitig. Auch auf dem Gebiete des Buchwesens. Der Stand der Bibliophilen und Sammler wuchs, es begann eine schwungvolle Produktion von Büchern, die man des Namens und des auffälligen Aussehens wegen haben mußte, sonst galt man in gewissen Kreisen nicht als voll. Die Söhne von reichen Eltern waren schon ein Stand geworden. Ihren Höhepunkt nach dieser Seite hin erreichte die »Bibliophilie« in den Inflationszeiten.

Die große Dresdner Kunstgewerbliche Ausstellung 1906, die Parade der deutschen kunstgewerblichen Entwicklung des neuen Stils, hatte mir den nur in sechzehn Fällen verteilten ersten Preis der Ehrenurkunde gebracht. Mit der Weltausstellung in Brüssel 1910, auf der ich als höchste Auszeichnung im Buchhandel den *Grand prix* erhielt, war eigentlich meine mir selbst gestellte Aufgabe in der Buchausstattung, die ich in den letzten vorhergehenden Jahren fast mit F. H. Ehmcke angefangen hatte, erfüllt. John Dowell 1910 mit programmatischen An-

48

schluß. Es war nicht meine Aufgabe, für Bibliophilen besonders zurechtgemachte Bücher zu bringen, mir kam es zuallererst auf jene Wirkung an, die vom Inhalt ausgeht. Ein Buch zum Anfassen, Streicheln, Beriechen (Leder) und Begucken ist ein unnützes Ding. Als Höhenleistung erschien dann 1912 die Monumentalausgabe der Upanishads, von der ich behaupten möchte, sie hält den Vergleich mit den Inkunabeln des fünfzehnten Jahrhunderts aus. Es folgte dann noch in Ausstattung von E.R. Weiß 1913 eine Monumentalausgabe des Hamlet und 1917 in der künstlerischen Druckanordnung von R. Benz die zweibändige *Legenda aurea*.

Vielleicht gibt den besten Überblick über meine Arbeit in diesem Jahrzehnt wieder die Charakterisierung gewisser Verlagsgruppen zur Zeit der Bugra. Ich begann jetzt eine ganze Reihe Serienveröffentlichungen, die zum Teil heute noch nicht an ihr Ende gelangt sind, weil sie durch Krieg und Inflation samt ihren Auswirkungen lange Zeit gehemmt wurden. Einige Gruppen meiner damaligen Verlagsumspannung habe ich unter den veränderten Verhältnissen nach dem Kriege wieder zurückstellen müssen, wie meine politische Bibliothek, die Schriften zur Soziologie, die naturwissenschaftlichen Klassiker u.a.

Die Einstellung auf das Denken unserer Klassiker, zumal in der Buchreihe »Erzieher zu deutscher Bildung«, trat in der Verlagstätigkeit bald zurück, ich mußte sie wegen Versagens des Publikums vorzeitig mit neun Bänden, deren letzter »Schelling, Schöpferisches Handeln« war, schließen. Dafür trat der Name *Paul Lagarde* fast als Symbol des Kommandoun an die Spitze meiner Bücher zur Volksumspannung. Ein Spruch von dem heimlich offenen Bund befindet sich seitdem am Kopf meiner geschäftlichen Briefbogen. 1913 erschien zuerst die Auswahl: »Deutscher Glaube / Deutsches Vaterland, / Deutsche Bildung« als Quintessenz seiner Schriften im Verlag. Sie liegt 1927 im dreißigsten Tausend vor. 1912 begann zum hundertjährigen Gedenktag der Ausgabe der Grimmschen Märchen die ohne Vorbild oder Nachahmung bei den anderen europäischen Völkern dastehende Reihe »Märchen der Weltliteratur«, die 1927 auf dreiunddreißig Bände angewachsen ist, einschließlich der neunbändigen Unterabteilung »Deutscher Märchenschatz«, der dem deutschen Volke seine Märchen dank Wisser und Zaunert durch neue Funde nahezu um das Doppelte vermehrt hat. 1912 begann auch mit »Thule« die endliche Darbietung der nordischen Sagawelt zu erscheinen (Island und Norwegen), die 1927 mit vierundzwanzig Bänden dem Abschluß nahe ist. Die Edda in Übersetzung von Genzmer und mit Einleitung von Andreas Heusler wurde nahezu ein Volksbuch, sie liegt heute bereits im dreiundzwanzigsten Tausend vor. 1911 begann ferner Richard Benz eine Neuausgabeder »Deutschen Volksbücher« in ihrerursprünglichen Sprachbildhaftigkeit und ihrem Sprachrhythmus. Das war etwas notwendig Anderes als die Neudrucke nach Simrock oder Schwab, denn eine neue Zeit braucht auch Neugestaltung ihres literarischen Erbgutes.

50

Diesen halb wissenschaftlichen, halb künstlerischen Ausgaben deutschen Volkstums traten auch verwandte Erscheinungen der schönen Literatur zur Seite. Erst durch die erstmalige Ausgabe von »Tyll Ulenspiegel« in der heute noch unübertroffenen Übersetzung von Oppeln-Bronikowski wurde Charles de Coster ebenso für die Weltliteratur entdeckt (1927 im dreiundsechzigsten Tausend erschienen), wie W.S. Reymont mit dem 1912 erschienenen vierbändigen Roman »Polnische Bauern«, den im ersten Jahr des Erscheinens niemand kaufen wollte, bis ich dann eine öffentliche Beschwerde an das Publikum richtete. 1925 erhielt Reymont nur für diesen Roman den Nobelpreis. 1911 erschien auch bereits von Hermann Löns »Der Wehrwolf«. Überblicke ich dessen Absatzzahlen vom ersten Jahre bis zum Weltkrieg und sehe dann das gewaltige Anschwellen des Absatzes seit seinem Tode 1914, das unmittelbar mit ihm einsetzte (1927 ist der Absatz bis 300000 gediehen, in annähernd gleicher Absatzhöhe steht auch sein Roman das zweite Gesicht), so erkennt man: Bei diesem Buche war für den Absatz nicht das Erkennen seines Wertes allein entscheidend, sondern das immanente Bedürfnis des deutschen Volkes, sozusagen einen Theodor Körner des Weltkrieges zu besitzen. Er ist der einzige Dichter in der Volksphantasie geblieben, der als solcher für das Vaterland starb, und sein Wehrwolf ist zum Symbol für unseren Glauben an eine deutsche Zukunft trotz unserer Niederlage geworden.

Die religiöse Bewegung innerhalb des Verlages, auf den Leibbinden meiner Verlagswerke, zuerst als religiöse Kultur bezeichnet und dann später, als das Wort »Kultur« anrüchig geworden war, formuliert als »Lebensgestaltung durch Glauben«, hatte bereits in Leipzig 1902 mit einem gewissermaßen als Programm dienenden Buche: »Religion als Schöpfung« von Arthur Bonus eingesetzt. Aber erst in dem Jenaer

Jahrzehnt gelangte sie zur Ausgestaltung. 1905 gab der Bremer Pfarrer Albert Kalthoff seine »Zarathustra-Predigten« heraus, die er in der Kirche gehalten hatte. An diese und die folgenden Bücher knüpfte sich eine Bewegung, die Gott aus der Gegenwärtigkeit des Lebens und nicht aus der Historie heraus erfassen wollte. Die Gruppe der amerikanischen Religiösen Emerson, Thoreau, Whitman wurde von mir bewußt der Bewegung zugesellt. Kalthoff war auch der erste, der gegenüber dem historischen Christus ein Fragezeichen setzte und mehr den Mythos betonte. Aber erst Arthur Drews begann den entscheidenden Angriff gegen die liberale Theologie mit seiner »Christusmythe« 1909, die ein gewaltiges Aufsehen erregte und zu großen öffentlichen Religionsdebatten in Berlin führte. Denn hier geschah der entscheidende Einbruch in die protestantische Theologie, deren Zurückführung religiösen Denkens auf den historischen vorbildlichen Menschen Jesu dadurch der Boden entzogen wurde. Es war damals eine interessante religiös bewegte Zeit. Wie das Anzeichen einer kommenden religiösen Erneuerung leuchtete der Reformkatholizismus meteorhaft auf, indem er innerhalb des Katholizismus wieder die persönlich gelebte Religion betonte. Aber schon nach einem Jahre sank die Bewegung in sich zusammen, die Kirche erwies sich als zu fest gefügt. Der Verlag brachte die Hauptschriften des Auslandes, das Programm der italienischen Modernisten, die Antwort der französischen Katholiken an den Papst, Bücher von Guiseppe Prezzolini, Romolo Murri und George Tyrell. Heute ist die Bewegung im allgemeinen Bewußtsein des Volkes so gut wie versunken. Wer erinnert sich noch des Würzburger Professors Schell? Die etwa zweihundert modernistischen Pfarrer in Deutschland mußten ihr Amt niederlegen, gar mancher derselben wandte sich an mich um Rat, was er nun für eine Existenz ergreifen sollte. Die deutschen Führer der Bewegung sind aber heute meist wieder gute Söhne ihrer Kirche.

Ich zog aber auch noch Hilfskräfte zur religiösen Bewegung aus England herbei in R.J. Campbell und Edward Carpenter. Aus der Schweiz ließ Hermann Kutter seine religiös-sozialen Schriften bei mir erscheinen. Um Drews gruppierte sich dann eine ganze Phalanx ausländischer Gesinnungsgenossen, der Amerikaner W.B. Smith, der Holländer van Eysinga, der Engländer J.M. Robertson. In Deutschland traten ihm Friedrich Steudel, Samuel Lublinski, Ernst Krieck zur Seite. Daneben ging die von Ernst Haeckel ausgehende monistische Bewegung. Arthur Drews setzte ihr aber als Philosoph durch einen zweibändigen Sammelband den vergeistigten Monismus gegenüber. Die modernistische Seite des Protestantismus vertrat seit 1913 der Kölner Pfarrer Karl Jatho, der mit Gottfried Traub das Schicksal teilen sollte, aus der protestantischen Kirche ausgeschlossen zu werden. Er starb aber kurz vorher.

Die innere Verbindung des Christentums mit dem nordisch-germanischen Denken hielt damals Arthur Bonus mit den heute noch keineswegs veralteten vier Bänden »Zur religiösen Krisis« aufrecht und auch die Linie zum religiösen Fichte. Von Bonus her stieß dann Friedrich Gogarten noch kurz vor dem Kriege mit seiner Schrift »Fichte als religiöser Denker« zum Verlag. Später hat er dann eine andere Entwicklung genommen, die in enger Verbindung mit Kierkegaard steht. Auch die Gesammelten Werke Kierkegaards wurden 1911 in Angriff genommen, nachdem der Verlag bereits 1905 eine Auswahl aus seinen Tagebüchern gebracht hatte, und eine zwölfbändige Ausgabe wurde bis Ausbruch des Krieges durchgeführt. Auch Max Maurenbrecher gehörte damals in die religiöse Phalanx des Verlages mit seiner Schrift über »Das Leid«. Wenn ich noch darauf hinweise, daß ich bereits 1910 durch Richard Wilhelm in Tsingtau ein großes Unternehmen »Religion und Philosophie Chinas« begann, so daß bis zum Kriege Kungfutse, Laotse, Liä Dsi und Dschuang Dsi herauskamen, ebenso daß 1912 »Die religiösen Stimmen der Völker« unter Herausgabe von Professor W. Otto in Angriff genommen wurden und mit der Bhagavadgita einsetzten, so wird man erkennen, daß der Hauptakzent des jetzigen Verlagsabschnittes auf dem Religiösen lag, während er vorher auf der künstlerischen Kultur gelegen hatte. Auch die Ausgaben aus der Mystik wurden in diesem Jahrzehnt gefördert und vorläufig zu Ende gebracht. 53

Die Führung der *künstlerischen Bewegung* erstreckte sich in diesem Jahrzehnt hauptsächlich auf die Vertretung des Werkbundes, denn es war nun genug geredet und geschrieben worden und die Zeit des Tuns war gekommen. Die Jahrbücher des Werkbundes, dem ich die Durchführung dieser Idee auch in ihrer Gestaltung nahegelegt hatte, waren ungemein billige Bände zu 3.– Mark mit zahlreichen Abbildungen der Neubauten und des Kunstgewerbes.

Eine gewisse Parallele zur Werkbundbewegung ist die Gartenstadt-bewegung. Schon 1907 brachte der Verlag das grundlegende Buch der englischen Gartenstadtbewegung von Ebenezer Howard heraus, der dann die deutsche Bewegung folgte. Gartenfachleute, wie Leberecht Migge, Fritz Encke brachten dann Bücher über die Gestaltung des Gartens, und 1913 erschien das umfangreiche Standard-Werk über die »Geschichte der Gartenkunst« von Marie Luise Gothein und erschloß uns wissenschaftlich die künstlerisch-kulturelle Gartenvergangenheit durch einen anschaulichen Text, verbunden mit zahlreichen Illustratio-nen. In gewisser ähnlicher Verwandtschaft als Buchtypus steht das gleichzeitig erschienene Buch von Maxmilian Ahrem: »Das Weib in der antiken Kunst«. Die kunsthistorischen Bücher von Hippolyte Taine und Stendhal, den beiden Lieblingen von Nietzsche, erschienen gleichfalls in musterhafter deutscher Übersetzung. Der Philosoph Herman Nohl verknüpfte Denken und Sehen durch seine »Weltan-schauung in der Malerei«.

Ich nahm aber 1912 auch noch eine neue Aufgabe in die Hand, die Popularisierung der alten Kunst in Bildern, in der Art, daß an Stelle ausführlicher Kunstdefinitionen die Anschauung trat, daß die Entwick-lungsperioden der europäischen Kunst bei den verschiedenen Völkern systematisch gruppiert wurden und ein wissenschaftlich einwandfreier und zugleich künstlerisch geformter Text die Bilder begleitete. Das Unternehmen »Kunst in Bildern« brachte es auf sechs sehr wohlfeile Bände, blieb aber dann durch den Weltkrieg stecken.

In gewisser Verwandtschaft stand zu ihm eine großangelegte Serie zur älteren italienischen Kultur, unter dem Titel »Das Zeitalter der Renaissance«. Sie begann – herausgegeben von Marie Herzfeld – 1910 mit dem ersten Band Matarazzo, Chronik von Perugia und war 1914 bereits auf neun Bände gediehen, der letzte war »Drei italienische Lustspiele aus der Renaissance«, herausgegeben von Paul Heyse.

Auch manch wichtige Gestalt aus der italienischen Renaissance er-fuhr noch durch besondere Publikationen eingehende Berücksichtigung, Leonardo, Michelagniolo, Machiavell, Pico della Mirandola, Cardano und die Gestalten der Condottieri.

Auch *die philosophische Bewegung* jener Zeit fand durch den Verlag ihre Vertretung, weniger der damals in hoher Blüte stehende Neu-Kantianismus, als jene Richtung des philosophischen Denkens auf das

Leben hin, die die Verlagsanzeigen als »Lebensgestaltung durch Denken« formulierten. Über Nietzsche erschien ein großes biographisches Werk von Carl Albrecht Bernoulli, das dessen Stellung zu Overbeck klarlegte und ein starkes Mißfallen des Nietzsche-Archivs hervorrief, welches sich in Prozessen austobte. 1907 veröffentlichte der französische Philosoph Boutroux als erstes Werk »Über den Begriff des Naturgesetzes in der Wissenschaft und in der Philosophie der Gegenwart«, weitere folgten nach. 1908 erschien von Henri Bergson »Materie und Gedächtnis«. Es erschienen dann bis zum Kriege alle wichtigen Schriften von Bergson in Übersetzung, der bekanntlich der Intuition wieder den ihr gebührenden Vorrang im philosophischen Denken erkämpfte und dadurch auch von großem Einfluß in Deutschland bei der Auseinandersetzung des Irrationalen mit dem herrschenden Kausalitätsdenken wurde. Die philosophischen Werke von Maeterlinck wurden weitergeführt. 1913 gesellte sich das große wichtige zweibändige Werk von Th. G. Masaryk über die russische Geschichts- und Religionsphilosophie dazu und 1914 eine beginnende Gesamtausgabe von dem russischen Philosophen Wladimir Solowjew. Von den deutschen Philosophen nenne ich außer den dem Hartmannschen Denken nahestehenden Werken von Arthur Drews noch Hans Driesch, Carl Joel, Friedrich Paulsen (mit seiner Selbstbiographie) und die neue Auflage von Karl Christian Planck »Testament eines Deutschen«. Auch Graf Keyserling ließ 1913 ein Büchlein über die innere Beziehung zwischen den Kulturproblemen des Orients und Okzidents erscheinen. Eberhard Zschimmer brachte eine »Philosophie der Technik«. Ein ganz neues Gebiet des psychologischen Denkens, nämlich den Zusammenhang der Seelengestaltung mit den Lebenseindrücken, behandelten bereits in den Jahren 1906 und 1907 die dänischen Psychologen Ludwig Feilberg und Carl Lambeck. Heute ist ihre Richtung unter dem Schlagwort »Menschenkunde« das Allermodernste.

Aber auch die *antike Philosophie* wurde nicht vernachlässigt. Vor allen Dingen bedeuten die Aristoteles-Übersetzungen des Hegelianers Lasson die erste wirkliche Verdeutschung des Gegenspielers von Platon. Nestle gab in mustergültiger Auswahl die Vor-Sokratiker heraus. Die Hauptvertreter der Stoa erfuhren weiter in Neuausgaben ihre Fortsetzung.

55

Auf *pädagogischem* Gebiete ergab sich durch persönliche Beziehungen ein nahes Verhältnis zur Schulgemeinde Wickersdorf, das zur Herausgabe ihrer Jahresberichte und der Schriften Gustav Wynekens führte, dessen Name der umstrittenste nicht nur der Schulbewegung, sondern auch der Jugendbewegung wurde. Auch zur Jugendbewegung führten, wie schon erwähnt, viele persönlichen Beziehungen. Die Festschrift vom Hohen Meißner, die zuerst den Namen »Freideutsche Jugend« aufbrachte, erschien 1913 unter meiner starken persönlichen Mitwirkung an ihrer Gestaltung.

In enge Beziehung zu den neuen pädagogischen Fragen trat die sexuelle Frage, die innerhalb des Verlages mehr in den geistigen Beziehungen des Eros zum Leben zum Ausdruck kam. Die Hauptautorin war Rosa Mayreder, die wohl bis heute das Beste zu dieser Frage gesagt hat, was überhaupt zu sagen ist, aber trotzdem in der großen Allgemeinheit noch wenig bekannt ist. Aber ihre Zeit wird kommen. Ich nenne nur noch Margarete Susman, Lenore Kühn und Gertrud Prellwitz, deren Büchlein »Vom Wunder des Lebens« heute bereits das 150. Tausend erreicht hat.

Ein wichtiger Vorstoß zum Leben hin war die Gründung der »*Politischen Bibliothek*« und der »*Staatsbürgerlichen Flugschriften*« im Jahre 1911. Als Herausgeber hatte ich für Deutschland den Sozialisten Eduard Bernstein und den rechtsstehenden Volkswirtschaftler Hans Dorn gewählt, denen dann als ausländischer dritter Herausgeber der schwedische Soziolog Gustaf F. Steffen zur Seite trat.

In einem an den Buchhandel und die Zeitungen gleichzeitig versandten Programm, betitelt »Der Einzelne und der Staat, Versuch zur Organisation eines persönlich-freien Denkens in politischen Dingen« heißt es eingangs:

»Alle Kultur der Einzelpersönlichkeit heischt eine Ergänzung und Weiterführung durch den Willen auf die Umwelt zu wirken, denn alles Wirken für das Allgemeine erlöst das Ich von seiner zufälligen Beschränkung. Ohne Zukunftswillen, ohne Idealismus des einzelnen erstarrt der Staat in der Ausübung seiner geschichtlich überlieferten Funktionen, denn er hat nicht allein nur für Einrichtungen zu sorgen, die die Interessengegensätze ausgleichen, er muß auch die Grundlagen, auf denen sich die geistig-sittliche Entwicklung aufbaut, weiter ausbilden. Eine Politik, die mit den Vernunftgesetzen der menschlichen

Natur und mit ihrem ethischen Vervollkommnungsideal im Einklang steht, eine Politik, die auf den Kadavergehorsam des unselbständigen Menschen verzichtet, steigert den Optimismus und den Schaffenstrieb, der zur Liebe zum Vaterland nötig ist.

Überall drängen sich neue Ideen zur Verwirklichung. Die Fortschritte der Technik ermöglichen in immer größerem Maße die Beherrschung der Natur, und der Menschheit erwächst aus dem Glauben an den Entwicklungsgedanken das Pflichtgefühl, Organisationen zu schaffen, um die Gestaltung des sozialen und kulturellen Lebens nicht mehr Zufälligkeiten anheimzustellen.

Darum soll ein buchhändlerisches Unternehmen von Jena, der Stadt Fichtes und Hegels, ausgehen, dessen Grundgedanken *positive Arbeit für den Staatsgedanken* sein will. Es soll keiner einzelnen politischen Partei dienen, es sollen auch nicht Gesinnungen gepredigt werden, aber aus der Gesinnung heraus soll geschrieben werden. Demokratie und Aristokratie sind keine unvereinbaren Gegensätze, sondern ergänzen sich. Der einzelne erliegt nicht dem Milieu oder der Masse, sondern er wirkt auf sie. Das Wort ›Sozialdemokrat‹ darf ebensowenig ein Popanz für unmündiges Denken sein, als das Wort ›national‹ ein nichtssagendes Aushängeschild. Nationale Gesinnung muß die Verpflichtung in sich spüren, unser Können und unsere geistige Verfassung für eine Menschheitskultur zu steigern. Wir müssen den neuen Kulturaufgaben der modernen Großunternehmungen nachgehen und dürfen uns auch nicht scheuen, neue wirtschaftliche Gesellschaftsformen zu suchen, sobald sie die organische Entwicklung notwendig macht. Schule und Volksbildungswesen, Kirche, Rechtspflege suchen nach neuer Gestaltung, die Aufgaben der Stadtgemeinden erweitern sich, überall entstehen neue Probleme und harren der Lösung.

Zur Durchführung des Programms, das Verhältnis des einzelnen zum Staat fruchtbar zu gestalten, bedarf es der Mitarbeit von Persönlichkeiten, und zwar solcher, die nicht mit einer Fülle weit hergeholter Begründungen einherkommen, sondern die mehr oder weniger pragmatistisch von vorhandenen Lebensformen ausgehen und die aus dem Erlebnis heraus etwas eigen Gewachsenes zu sagen haben. Es bedarf aber auch eines Zuhörerkreises, der sich nicht mit politischen Phrasen abspeisen läßt, sondern der lernen will und dann handelt. Nichts

Schlimmeres bei allen brennenden Fragen gibt es, als nur wohlwollend orientiert zu sein.«

Es waren die besten Namen der englischen Fabians darin vertreten: Mac Donald, Wallace, J.G. Wells und auch Lloyd George. Von deutschen Autoren bis zu Ausbruch des Krieges: Heinz Potthoff, David Koigen, Franz Staudinger und Richard Calwer. Zur Seite standen dann Schriften über das Problem der Armut von Sidney und Beatrice Webbs und von Jaurès über das Entmilitarisierungsproblem (Die neue Armee). Von deutschen Denkern war Robert Wilbrandt mit einem gewichtigen Buch über den Sozialismus vertreten. Alfred Weber gab Schriften zur Soziologie der Kultur heraus, und Paul Göhre setzte die Reihe seiner Arbeiterbiographien fort, die ein unersetzliches Dokument für das Denken und die Lebensumstände der Arbeiter aus den Zeiten der Industrieentwicklung sind.

Wie eine Vorausahnung künftiger Zeiten schrieb Karl Lamprecht bei Erscheinen der »Politischen Bibliothek« an mich:

»Für mich als den Erfinder des Wortes von der ›Politisierung der Gesellschaft‹ ist natürlich die jüngste Wendung Ihrer geschäftlichen Tätigkeit eine mit höchster Freude zu begrüßende Selbstverständlichkeit. Und ich zweifle nicht, daß Sie auf diesem Wege ebensosehr unsere Entwicklung fördern wie auch die Interessen Ihres Verlages wahren werden. Darf ich dem noch einige Beobachtungen hinzufügen, so wären es folgende: Indem alles, was die letzten zwei Jahre heute an Idealismus und an vielleicht noch wenig umschriebenen sittlichen Zielen gezeitigt haben, dem Gedanken zweckmäßiger Durchbildung auf politischem Wege unterworfen und damit rationalisiert wird, besteht die Gefahr, daß diese reiche Fülle von Blüten und Früchten, namentlich in den Teilen, in denen die Ernte noch etwas unreif sein möchte, arg beschnitten wird und daß damit das, was wir heute stolzen Sinnes ›Kulturpolitik‹ nennen, wieder *mutatis mutandis* den dürren Abstraktionen des politischen Denkens der siebziger und achtziger Jahre des vorigen Jahrhunderts zugeführt wird. Dieser Prozeß, der zu den bedauerlichsten Verengungen geschichtlicher Lebensbreite gerechnet werden müßte, hat sich in der Entwicklung der deutschen Geschichte mehr als einmal vollzogen, und die Gefahr ist keineswegs ausgeschlossen, daß dies auch jetzt wieder geschehen werde; Bürokratismus, Militarismus und falsch verstandener fürstlicher Beruf können dafür sorgen. An dieser Stelle muß also, und ich weiß, daß ich damit, daß ich dies ausspreche, ganz Ihren Intentionen entspreche, scharf aufgepaßt werden, und es muß einer der wesentlichsten, immer wiederkehrenden Gedanken sein, daß die deutsche Politik der Zukunft nach innen wie außen *nur eine Kultur- und nicht eine Gewaltpolitik sein kann.*«

Auch nach der *naturwissenschaftlichen Seite* hin entwickelte sich der Verlag durch die Inangriffnahme der »Klassiker der Naturwissenschaft und Technik«, die 1913 mit Lamarck »Die Lehre vom Leben« begannen, dem Kepler und Plinius später folgte. Im allgemeinen waren die Aufgaben des Verlages nach der geisteswissenschaftlichen Seite hin zu umfangreich, als daß sich derselbe nach der naturwissenschaftlichen Seite hin hätte entsprechend ausdehnen können. Immerhin erschienen die Schriften von Wilhelm Bölsche mit großer Wirkung auf weite Kreise in ihm, und Wilhelm Fließ ließ 1909 sein epochemachendes Buch »Vom Leben und vom Tod«, das den Rhythmus im Naturleben entdeckte, im Verlag erscheinen.

Auf dem Gebiet *der schönen Literatur* sind zuerst sämtliche Werke Carl Spittelers zu nennen, dessen Schriften teilweise von anderen Verlagen, wo sie unabsetzbar schmorten, angekauft wurden. Hinzu kamen als Autoren Agnes Miegel, Alfons Paquet, Ernst Lissauer und Hermann Löns (Der kleine Rosengarten) in ihren Gedichten. Von anderen Völkern her in Romanen die Dänen Svend Fleuron, Karl Gjellerup, Henrik Pontoppidan, von England Fiona Macleod, die keltische Sagendichterin, die sich aber dann überraschenderweise nach ihrem Tode als nicht existierend entpuppte. Sie war nämlich ein Mann, der William Sharp hieß und zum Präraffaelitenkreis gehörte.

1909 gründete der Verlag zusammen mit fünf anderen Verlagen die Tempelklassiker.

Nicht uninteressant ist es, die verschiedenen programmatischen Vorworte zu den Verlagskatalogen in jener Zeit zu verfolgen.

1906 heißt es in dem zehnjährigen Verlagsbericht:

»Daß es mir bisher möglich war, Bücher ohne Rücksicht auf die Tagesmode zu verlegen, gibt mir die starke Zuversicht, daß wir nach dem Tiefstand der deutschen Kultur in den siebziger und achtziger Jahren des vergangenen Jahrhunderts in einer stetigen, aufsteigenden Entwicklung begriffen sind.«

In »Wege zu deutscher Kultur« steht 1908:

»Unsere Sache ist es, für die ethische Seele der Zukunft zu sorgen. Dies kann aber nicht durch sofortige, praktische Änderungen der Tageswirklichkeiten geschehen. Sondern die Stimmung, aus welcher dann von selbst die zukünftigen Wirklichkeiten sich bestimmen, wird sozusagen in einer Welt für sich zu schaffen und auszubilden sein.«

Der Bericht über die sechzehnjährige Verlagstätigkeit 1912 spricht sich ganz besonders umfangreich über meine Einstellung zur Zeit aus:

»Es ist fast ebensolange her, wie mein Verlag existiert« – heißt es dort – »daß in Deutschland die Geister erwachten, daß es wie eine rätselhafte Unruhe in die Menschen kam, sich nicht mehr mit dem Überkommenen zu begnügen, sich nicht mehr als Epigonen zu fühlen. Man wollte dem Menschen in sich selbst wieder näher kommen, und indem damit ein neues Selbstvertrauen entbunden wurde, überwand man Autoritätsglauben und Dekadenz. Technik und exakte Wissenschaften gingen in ihrer umstürzenden Tätigkeit voraus, fast über Nacht wurde Deutschland aus einem Ackerbaustaat zu einem Industriestaat.

Durch die Zeitungen und Zeitschriften wird eine Menge Wissensstoff in die Welt geworfen, aber dieser kommt bei den Lesern in seiner Wirkung zu keiner Kristallisation, denn es fehlt die Begrenzung auf das das Leben Schaffende. Es wird daher der neue Typus des Verlegers notwendig, der Mäzen ist. ›Mäzen‹ weniger als Geldmann aufgefaßt, sondern mehr als Pfleger des Werdenden, als Organisator geistiger Kräfte und Strömungen.

Eine Vertiefung des deutschen Wesens kann aber nur kommen, wenn wir von dem Ideal des schöpferischen Menschen ausgehen. Wir Germanen wollen den Helden, den Qualitätsmenschen als letztes Ziel unserer Entwicklung. Darum müssen wir uns von der nationalen Phrase freimachen. Wir müssen unsere Kräfte rein und stark erhalten, um als Volk vorwärts zu kommen. Wissen wir zu unterscheiden, was für unsere eigene Entwicklung wesentlich ist und was unwesentlich, so sind die Vorbedingungen für die Gestaltung neuer Formen gegeben. Es ist ein ganz falsches Bildungsideal, was wir jetzt noch haben, das Bildungsideal des Vielwissers, erzogen durch die Examina unserer Schulen. Bildung haben aber heißt, seine inneren Kräfte ausgebildet haben, und das kann man nur durch Beschränkung auf seine Anlagen, durch Arbeit am Leben. Aber nur der ist literarisch gebildet, der weiß, daß er nicht alles kennen muß, sondern nur das sucht und zu finden versteht, was er braucht. Alles innere Leben erfordert, um einen Ausdruck Bergsons zu gebrauchen, den er mir im Gespräch als Formel seiner Philosophie bezeichnete, das eine: *Simplifier la vie.*

Wirken kann man aber als Verleger nur, wenn man Gegensätzliches als gleichberechtigt ansieht und als das Wesentliche nicht den Kampf zwischen beiden Richtungen, sondern ihre Synthese betrachtet. Wir haben auch nur dann das Recht, national zu sein, wenn wir die Eigenart anderer Völker verstehen und achten, denn darin besteht ja der Reichtum des Lebens, daß es eine Polyphonie ist, daß es kein einziges Mustervolk oder eine allein herrschende Idee gibt. Wir alle haben dem Leben zu dienen, das über uns herrscht.«

Ein Jahr später heißt es dann in dem Katalog »Die deutsche Kulturbewegung im Jahre 1913«:

»Eine einseitige, allzu große Beschäftigung mit sich selbst führt nicht nur im Leben des Individuums, sondern auch im Leben des ganzen Volkes zur Verengung. Darum gilt mir als zweiter Hauptpunkt meiner verlegerischen Tätigkeit, uns Deutschen die Augen offen zu halten für die ergänzenden Eigenschaften anderer Völker und dadurch uns klarzumachen, daß wir uns vom Chauvinismus freizuhalten haben. Wir haben, nur andeutungsweise sei es gesagt, von den Engländern politischen Sinn, von den Franzosen Leichtigkeit und Lebensempfinden, von den Skandinaven die Volkserziehungspraxis, von den Slawen die notwendige Ergänzung zu unserem einseitigen religiösen Individualismus zu holen, und von Indien und China vielleicht den Sinn des Lebens, nämlich wahre geistige Kultur.

Jeder Einsichtige weiß, daß in Deutschland eine große, alle schöpferischen Kräfte erregende Bewegung vorhanden ist. Ich rede nicht von dem industriellen Aufschwung. Jene Bewegung ist erst ein Vorfrühling. Eine ganz geringe dünne Schicht lebt geistig vorwärtsschreitend und entwickelt in sich ein neues Verhältnis zum Leben, aber sie hat keinen Einfluß auf die Masse. Ganz im Gegenteil, die Menge wird immer kulturloser und versinkt in Geschmacklosigkeiten und äußerlicher Gesinnung. Es ist eine Täuschung, wenn wir uns einbilden, wir seien im steten Aufstieg, nein, wir zehren jetzt viel zu viel von altem Kulturgut und fügen zu wenig neues zu. Die Entwicklung äußerer Lebenshaltung bietet nicht den geringsten Maßstab. Soll Deutschland einst die

Führung in der Welt übernehmen, so ist die entscheidende Frage: Wird die neue kommende Generation die Arbeit unserer heutigen ›Führer ohne Volk‹ aufnehmen und weiterbringen? Darum heißt es arbeiten, daß genügend Kräfte hinter der Fülle des neuen Wollens stehen, heißt es im Sinne Lagardes einen heimlich offenen Bund der Geister bilden, der für das Morgen sinnt.

Daß unsere wirtschaftliche Entwicklung einen neuen geistigen Überbau erfordert, einen Neuidealismus, ist Binsenwahrheit. Die Frage ist nur, wie bereitet man am besten den Boden dafür vor. Mit der Persönlichkeitsentwicklung ist es noch nicht getan, auch wenn sie die Grundvoraussetzung ist. All die gärenden Kräfte müssen eine Form haben, und um diese zu finden, muß ein geschärftes Bewußtsein für das Gemeinsame, für die Art unserer inneren Anlagen in uns lebendig werden. Geht doch die Entwicklung des Verhältnisses des einzelnen zum Staat darauf hinaus, daß an Stelle überkommener Autoritäten ein durch das ganze Volk gehendes gemeinsames Empfinden treten will, das sich selbst verantwortlich fühlt. *Eine Volkstumsbewegung muß uns zu einem bewußten Rassengefühl führen.*«

In der Kriegszeit

Bei Ausbruch des Krieges befand ich mich im Lyngenfjord unterhalb Hammerfest, der nördlichsten Stadt Europas. Glücklicherweise war es neutrales Ausland, und so war ich wenigstens acht Tage nach Kriegsausbruch in der Heimat, die ein ganz anderes Gesicht hatte wie noch vor wenigen Wochen, als ich abreiste. Man muß sagen, es existierte im ersten Kriegshalbjahr wirklich eine Volksgemeinschaft, aber nur eine Volksgemeinschaft des Gefühls, Gefühl aber dauert bekanntlich nicht ewig. Wir Verleger waren in den ersten Wochen des Krieges wie vor den Kopf geschlagen. Der Buchabsatz hörte mit einem Male fast ganz auf. Was sollte man denn eigentlich verlegen? Es ergab sich aus meiner Einstellung zur Jugend, mit der ich die allen Volkslieder gemeinsam sang, daß mein erstes Bestreben war, die Kriegslieder sozusagen zu organisieren, damit die Soldaten im Felde etwas anderes zu singen hatten als die abgedroschenen Kasernenlieder. Es erschienen auch in den ersten Monaten unzählige Kriegsgedichte in den Zeitungen.

Fast jeder Dichter und Nichtdichter machte seinem Herzen Luft in dem Gefühl, auch zu Hause müsse man nun für das Vaterland etwas tun. Manches Gute war darunter, und so betrachtete ich es als meine erste Aufgabe, in kleinen Heftchen für den Tornister, genannt »Tat-Feldpostbücherei«, die besten der Gedichte zu sammeln, damit sie als Liebesgabe ins Feld geschickt werden konnten und so die Verbindung mit der Heimat aufrecht erhielten. Der Inhalt der Tat-Feldpostbücher erweiterte sich dann durch Bücher über den deutschen Menschen. Das waren Auswahlstellen zum deutschen Volkstum, Glauben, Politik und Heldentum. Auch die Antike wurde durch einen ihrer ersten Kenner, Professor Crusius in München, mit herangezogen.

Die sehr billigen Kriegsliederhefte mit Noten, die dann manche dieser Gedichte mit Vertonungen brachten, brachten es auf elf Hefte und führten mich mit manchem Komponisten zusammen. Aus dieser Berührung entstanden dann wieder musikalische Kriegsflugblätter in großem Notenformat für das deutsche Haus, 42 Nummern. Der reguläre Musikverlag war nach dieser Seite hin völlig untätig.

Aus diesen Tat-Feldpostbüchern erwuchsen dann in organischer Fortsetzung in den nächsten Jahren die Bücher der proletarischen Kriegsdichter, gewissermaßen eine Entdeckung des Verlages. Karl Bröger, Heinrich Lersch, Max Barthel, Alfons Petzold, später dann noch Gerrit Engelke. Auch andere Kriegsdichter aus dem bürgerlichen Kreis schlossen sich an, ich nenne nur Hans Friedrich Blunck.

Neben die »Tat-Feldposthefte« traten in weiterem Verlauf die »Tat-Flugschriften«, deren verbreitetste Everth, »Von der Seele des Soldaten im Felde«, wurde, die wohl die einzige Schrift unter der damaligen »Heldenliteratur« ist, welche die wirkliche Psyche der Soldaten schilderte und darum auch in etwa 20000 Auflage in den Schützengräben gekauft wurde. Gertrud Bäumer, die Organisatorin der Frauenhilfe, veröffentlichte als seelische Hilfe für die Zuhausegebliebenen ihr »Weit hinter den Schützengräben« und später »Zwischen Gräbern und Sternen«.

Ein wichtiges Verbindungsglied zwischen Schützengraben und Heimat war auch meine Zeitschrift »Die Tat«, die, ursprünglich von Ernst Horneffer begründet, 1912 in meinen Verlag übergegangen war. Sie erlebte durch die Jugend im Schützengraben einen ungemeinen Aufschwung in der Abonnentenzahl. Beliebt war sie bei den Generalkom-

mandos respektive bei der Zensur nicht, denn sie machte nicht ohne
weiteres die Direktiven zum Patriotismus mit, und mehrmals mußte
ich mich beim Reichskanzler über Zensurhemmungen beschweren,
bei denen ich jedesmal recht bekam, wenigstens solange Bethmann-
Hollweg am Ruder war. Die betreffende Reichsstelle hatte unter Ha-
mann ein wirkliches Lebensverhältnis zum Geistigen, sie war nicht
bürokratisch. Das Gegenteil konnte man wohl von der Kriegszensur
der Generalkommandos fast ohne Ausnahme behaupten; der Leutnant
herrschte. So sollten zum Beispiel auch Kutters »Reden an das deutsche
Volk« verboten werden, weil darin auch vom Sozialismus mit die Rede
war. Aber die Beschwerde beim Reichskanzler gab das Buch wieder
frei. Die Haltung der »Tat« war durchaus national in der Form einer
ernsthaften Selbstbesinnung. Das erste Kriegshalbjahr erschien sie
überhaupt nicht. Als sie dann wieder erschien, brachte sie unter anderem auch mancherlei Aufsätze über die Frage, warum der Deutsche
in der Welt so unbeliebt sei. Ich habe dann selbst als Herausgeber
während des Krieges größere und kleinere Aufsätze geschrieben, von
denen dann nach dem Krieg ein Teil als Buchausgabe unter dem Titel
»Politik des Geistes« erschien. Als ich dann nach der Revolution dem
ehemaligen Reichskanzler Bethmann-Hollweg den einen Aufsatz über
den »Volksstaat« zuschickte, schrieb er mir: »Unzweifelhaft haben Sie
darin vorausfühlend Richtungen bezeichnet, denen jetzt die Wirklichkeit
zu folgen scheint.«

Ein weiterer Versuch, ernsthafte Kost in die Schützengräben zu lie-
fern, waren die »Flugblätter an die deutsche Jugend«, die wertvolle
ausgewählte Kapitel aus den Werken unserer Denker handlich machten.
Auch erschien eine Buchreihe »Schriften zum Verständnis der Völker«
in den Jahren 1915 bis 1917 über den französischen Geist, die slawische
Volksseele, die Polenseele, das Problem Belgien, über die Kroaten und
Slowenen. Letzteres Buch wurde auf den Wunsch unseres österreichischen Bundesgenossen aber sofort konfisziert und erst nach dem
Weltkrieg freigegeben. Es stand aber nicht das geringste Deutschfeind-
liche darin. Im Gegenteil, alle die Bände waren auf Verstehen des
Gemeinsamen gestellt.

Hans Thoma gab dann auch einige Schriften mit der ausgesprochenen Absicht, für Verinnerlichung unseres Denkens in der Kriegszeit
das Seine zu tun, in meinem Verlag heraus, die größere Auflagen er-

lebten. Die erste hieß »Die zwischen Zeit und Ewigkeit unsicher flatternde Seele«.

Richard Benz ließ 1915 seine »Blätter für deutsche Art und Kunst« erscheinen mit dem Programm: Fort von der Renaissance zur Gotik. Die Theaterkulturbewegung setzte 1917 in meinem Verlag zuerst mit den ersten Schriften ein.

Hugo Preuß brachte 1915 das die kommende Demokratie verkündende Buch »Das deutsche Volk und die Politik« innerhalb der »Politischen Bibliothek« heraus, auf das hin ihm später die Aufgabe zufiel, die deutsche Reichsverfassung zu schaffen.

Die angefangenen Serien stockten durch allerlei Hemmungen, in erster Linie durch den Papiermangel. Dann auch durch die mangelnde Kauflust für alles wirklich Vertiefende. Eine Ausnahme im Vorwärtsgehen machten nur die »Märchen der Weltliteratur«, während »Thule« von Jahr zu Jahr immer weniger Absatz hatte. Wäre in Deutschland wirklich der Ernst zur Selbstbesinnung gewesen, hätte gerade »Thule« ganz besonders viel Käufer finden müssen, und wäre es weniger bürokratisch in der Papierverteilung zugegangen, so hätte gerade die Regierung für diese Art Bücher besonders viel Papier anweisen müssen. So aber geschah es, daß die Verlage für flachste Tagesliteratur womöglich noch durch besondere Beziehungen zu gewissen Stellen bevorzugt wurden und mindestens das ebenso große prozentuale Anrecht an die Papierverteilung hatten, wie diejenigen Verlage, die an der inneren Haltung des Volkes während des Krieges arbeiteten.

Besonders lebhaft war die Tätigkeit des Verlages während des Krieges auf dem Gebiet der Jugendbewegung. »Der Aufbruch«, Monatsblätter für die Jugendbewegung, wurde 1915 gegründet, aber bald von der Zensur verboten. »Die Flugblätter an die deutsche Jugend« sind schon erwähnt. Hans Blüher erschien seit 1916 mit mehreren Büchern, zuerst mit der »Rolle der Erotik in der männlichen Gesellschaft«. In den Tat – Flugschriften wurden mancherlei Jugendbewegungsgedanken behandelt. Auch die Vertonungen zu Löns »Kleinen Rosengarten« erschienen 1917, die bereits heute in der Klavierausgabe im 137. Tausend vorliegen. Von schweren gedanklichen Büchern seien erwähnt mehrere Bücher des Marburger Philosophen Paul Natorp zum deutschen Weltberuf, eine Kosmogonie des Prager Philosophen Ch. von Ehrenfels und von Ernst Krieck »Die deutsche Staatsidee«.

Auf literarischem Gebiete ist die Gastrolle der Nyland-Leute im Verlag zu erwähnen. Die Zeitschrift »Nyland« erschien ein Jahr lang. Um sie gruppierten sich Josef Winckler, Jakob Kneip, Wilhelm Vershofen, Albert Talhoff und andere.

Es drängte mich aber auch in jener Zeit nicht nur Bücher zu verlegen, sondern jeder, der sein Vaterland liebte, wollte auch noch mehr tun, als in den engen Grenzen seines Berufes handeln. Schon 1914, kurz vor dem Kriege, hatte ich einen Plan zu Nutzen der Allgemeinheit zu verwirklichen versucht, der nicht in direkter Beziehung zu Verlagsinteressen oder Autoren stand. Nämlich ich machte den Versuch, eine deutsch-französische Verständigung durch eine Zusammenkunft schöpferischer Menschen beider Nationen zu veranstalten. Die praktische Realisation dieser Idee ergab sich durch die im Sommer 1914 eröffnete Werkbundausstellung in Köln. Schon 1913 war der gleiche Plan bei den Franzosen aufgetaucht, die mich zu einer ähnlichen Veranstaltung auf die Weltausstellung in Gent einluden, sie fiel aber mangels geeigneter Vorbereitungen so gut wie ins Wasser. Ich schrieb dann Grand-Carteret, dem bekannten französischen Karikaturenzeichner, der mich dazu eingeladen hatte: Jetzt wollen wir es einmal von Deutschland aus organisieren. – Ich möchte nur kurz sagen, alle Vorarbeiten waren geleistet. Ein in Paris lebender Bekannter hatte alle geeigneten Kreise sondiert. Romain Rolland und Rodin wollten kommen. Die französische Eisenbahn wollte sogar einen Extrazug bis zur Grenze stiften. Aber im letzten entscheidenden Moment fiel der Plan kleinlicher Bedenken halber ins Wasser und die Werkbundleitung, die mir erst *plein pouvoir* in der Vorbereitung gegeben hatte, beschränkte sich darauf, zehn repräsentative Namen aus Frankreich einzuladen. Das war natürlich keine Verständigung mehr, sondern nur ein Höflichkeitsakt. – Ich habe schon früher einmal gesagt, als Verleger muß man sich allgemeine Aufgaben suchen. So gründete ich dann im zweiten Kriegsjahr in den größeren thüringischen Städten Vaterländische Gesellschaften und berief Max Maurenbrecher als Organisator und Wanderredner. Aus diesen Vaterländischen Gesellschaften erwuchsen dann im Jahre 1916 und 1917 drei Tagungen auf Burg Lauenstein, zu denen ich zusammen mit zwei anderen Verbänden die wesentlichsten Vertreter der Geisteswissenschaften an den Universitäten, Künstler, Politiker und Industrielle zu gemeinsamen Beratungen zusammenrief.

Sie geschahen unter Ausschluß der Öffentlichkeit, trotzdem die Redakteure führender Zeitungen, wie z.b. der Frankfurter Zeitung, mit teilnahmen. Der Mittelpunkt des Kreises war Max Weber, und über diese Tagungen ist dann einiges in seiner Biographie von Marianne Weber nachzulesen. Dort wurden dann vor allem jene Probleme behandelt, die in der Revolution auftauchten, in erster Linie das Verhältnis des einzelnen zum Staat. Der Grundgedanke der Zusammenkunft war auch, den Versuch zu machen, dem Ausland gegenüber das Gesicht einer deutschen Geistigkeit herzustellen, das kriegspsychosesrei war und den kommenden Wirklichkeiten ins Auge sah. In den Dörfern der Umgebung der Burg hatte sich, wie ich dann später erfuhr, das Gerücht verbreitet, es würde auf der Burg der Friede gemacht.

Später überwucherte dann die äußerliche Politik der Vaterlandspartei alle derartigen Bestrebungen, und so kam es, daß mir von meiner Gründung, den Vaterländischen Gesellschaften Thüringens, der Stuhl vor die Tür gesetzt wurde, »denn mein Name wirke schädigend«. Unter Maurenbrechers Führung war nämlich die Bewegung in das Lager der Vaterlandspartei rückhaltlos übergegangen. Dafür erwuchs mir 1918 eine andere Aufgabe im vaterländischen Interesse. Das Auswärtige Amt schickte mich nach den skandinavischen Ländern, und ich verlebte einige Wochen in näherer Berührung mit unseren diplomatischen Vertretern in Dänemark und Schweden und in neuer Bekanntschaft mit manchen Angehörigen der beiden Länder. Die norwegische Regierung verweigerte mir aber die Einreiseerlaubnis. Ich muß sagen, daß ich von der rechten Vertretung deutscher Interessen im Norden, zumal in Kopenhagen, einen sehr guten Eindruck bekam. Überhaupt war es für mich merkwürdig, wie offen eigentlich die Diplomaten sind. Ich hatte mir von ihrer Kunst des Verschweigens ganz andere Vorstellungen gemacht. Es war so schön, Deutschland einmal während des Krieges von draußen her zu sehen und den Druck der Umklammerung nicht zu spüren.

Wie ich Deutschland von innen auf Grund meiner verlegerischen und menschlichen Erfahrungen sah, gibt das Vorwort des Kataloges: »Drei Jahre deutscher Kulturarbeit während des Weltkrieges 1914 bis 1917« wieder. Dort heißt es:

»Der deutsche Geist ist der des stillen Wachsens, weil er die Wahrhaftigkeit über alles liebt, weil er von innerer Leidenschaft und stolzem

69

Lebensgefühl durchglüht ist und daher das Geschrei der Straße nicht kennt, weil aus ihm heraus seine großen Männer durch ihr eigenes Leben bezeugten und lehrten: Deutscher sein, heißt sein inneres Bildungsgesetz suchen und Liebe zu jeder Kreatur haben, die mit uns des Lebens Bürde trägt. Stolz aber erwächst dem Deutschen aus dem Kampf mit dem Leben, wenn er es mit seiner Sehnsucht nach Geistigkeit durchdringt.

Ist dieser Geist unter den auf Massensuggestion berechneten Schlagworten in den drei Jahren des Weltkrieges nicht allzusehr verkümmert? Welche Tageszeitung wagt Aufsätze von Männern zu bringen, die ihre innerste Überzeugung dazu treibt, etwas anderes zu sagen, als was die Allgemeinheit hören will? Wo sind die weit ausschauenden Philosophen und Denker an den deutschen Universitäten, die mit vernehmlicher Stimme als Führer zu ihrem Volke über das Tagesinteresse hinaus reden? Fühlen sie denn nicht die Charakterlosigkeit und die Würdelosigkeit unserer Zeit? Draußen setzt man das Leben für das Vaterland ein, im Inneren treibt man Kriegswucher, aber keiner deutet diesen klaffenden Widerspruch. Wo bleibt der Einfluß der Kirche auf sittliche Neubildung? Wo sind allgemeingültige, feste Anschauungen, die das Leben des Volkes formen? Die meisten, die von Deutschlands Erneuerung reden, denken nur an das Geschäft. ›Belange‹ werden mit ›Ideen‹ gleichgesetzt, Materialismus und Mechanismus werden durch das Wörtchen ›national‹ vergoldet.

Wer von uns lebt in Erwartung des Schöpferischen, das nach Zukunft ruft? Die Gelehrten wohl zum geringsten Teil, denn sie reden zwar von Neuorientierung, aber sie begnügen sich damit, Formeln für ihre aus der Geschichte gewonnenen Erkenntnisse zu finden. Sie haben keine Abenteuerlust, sondern im stillen Kämmerlein beziehen sie die Welt auf sich und ihren Intellekt, und darum gleichen sie jenen Frauen, die beständig an ihr Ich denken und sich stets interessant vorkommen möchten. Und weil beide im Tiefsten ihres Herzens ein schlechtes Gewissen haben, werden sie hochfahrend. Wir leiden aber nicht nur am einseitigen Fachmenschentum, wir leiden auch an der Arroganz der Fassadenmenschen und ewigen Besserwisser, wir leiden an dem Verkleistern des notwendigen Kräftespiels der Gegensätze durch philisterhaftes Ruhebedürfnis, wir leiden an verlogenen moralischen Tiraden. Jeder verlangt vom anderen, fängt aber nicht bei sich selbst an. Das Pseudodeutschtum herrscht.

Eine Welle der Menschenliebe wird nach dem Kriege über alle europäischen Völker hereinbrechen, ein Bewußtsein der Gemeinsamkeit, und von Mensch zu Mensch wird ein In-die-Augen-Sehen kommen: was bist du als hochstrebender Mensch wert und nicht als Händler von Gütern? Das Selbstverantwortungsgefühl wird im Glauben an ewige Werte zu einer klar umrissenen Diesseitsreligion führen. Diesseitsreligion heißt nicht in Diesseits-Behaglichkeit steckenbleiben, sondern klar fühlen: das menschliche Ich wurzelt zwar im Diesseits, aber der menschliche Wille wächst in kosmische Weiten und erlebt Gott in dem Leben für die Idee. Diesseitsreligion ist das Ideal der *civitas dei*.

Jene neue Jugend, die aus dem Sinn für das Wesentliche heraus ihr Leben gestalten will und damit in bewußtem Gegensatz zur alten Generation steht, der es an dienender Liebe fehlt und die darum kein Gemeinschaftsgefühl hat, sucht nach einem Verhältnis zu den schöpferischen Kräften des Lebens. Ihr mitzuhelfen gilt hauptsächlich meine Arbeit. Sie sucht wieder einmal stürmisch nach richtunggebender, ›Wahrheit‹. Aber alle intellektuellen Wahrheiten sind nur relativ. Es gibt nur Wahrheiten des Instinktes für den einzelnen Menschen, die Notwendigkeiten seines Lebensaufbaues, und jedes Menschen Leben ist gewissermaßen ein Segment der großen, das Lebensganze umfassenden Wahrheit. Darum sehe ich meine verlegerische Aufgabe darin, die dynamischen Kräfte der ganzen Volksgemeinschaft, der deutschen Volksseele mit entwickeln zu helfen.«

Nach dem Krieg

Die Zeit der Revolution, der Inflation und des sogenannten beginnenden Aufbaus war mehr oder weniger eine bewußte Abkehr der Menge von der Tradition zu einseitigem Leben für die Gegenwart, zum materiellen Genuß, zum Leben ohne weiteres Ziel als des Verdienens. Mit einem Wort, wir sind auf der Linie der Amerikanisierung, der Atomisierung und des Sinkens unserer geistigen Interessen und völkischen Zusammenhaltes, wenn nicht Gegenströmungen auftauchen, die uns zu neuen Bindungen führen. So heißt es in dem 1924 erschienenen Katalog, der über die Tätigkeit der letzten zehn Jahre berichtet:

»Als Tatsache steht fest: der deutsche Mensch ist mehr oder weniger entwurzelt, er läuft in seiner Hilflosigkeit dem Großstadtgeschmack, der Mode, dem Schlagwort und wer weiß noch welcher äußeren Erregung nach. Er wartet mit Sehnsucht auf den Führer, der ihn aus dem Dreck herausziehen soll, lebt aber noch materialistischer und gottverlassener als vor dem Kriege. Er lebt chaotisch, weil er seelisch keinen festen Boden unter den Füßen hat.

Aber es wäre falsch, darüber an unserer Zukunft zu verzweifeln, denn das Schicksal fordert heute mehr wie je vom deutschen Volke tätiges Handeln. Was aber nicht dasselbe ist wie möglichst große Industrialisierung, sondern was Rhythmus und Gebärde im Leben des einzelnen fordert. Es verlangt nicht nur Selbstbesinnung und Selbstkritik, sondern auch Glauben an sich und ein lebendiges Verhältnis zu den überpersönlichen Kräften. Kein von außen her kommender Einfluß, keine neue Wirtschaftsform wird die innere Wandlung schaffen, sondern du selbst. Du mußt nur schon heute bei dir anfangen.

Schon beginnt man wieder in breiten Schichten unseres Volkes von der ›Macht‹ als dem einzigen Heilmittel zur Gesundung Deutschlands zu reden und den Staat an sich zur Verkörperung des Überpersönlichen zu erheben, weil ein solches Denken jeden bei seinen alten Gewohnheiten lassen kann. Wieviel Volksgenossen der älteren Generation waren überhaupt fähig, durch die Ereignisse des Zusammenbruchs umzulernen? Es ist ja viel bequemer, ›die richtigen Ansichten‹ zu haben und an einen wortgewandten ›Führer‹ zu glauben, als bei sich selbst mit der Wiedergeburt des deutschen Geistes zu beginnen. Der Durchschnittsdeutsche hat eben die Meinung der Zeitung, die er täglich liest. Es ist die große Niete unserer Zeit, daß weder Religion noch Kunst noch Wissenschaft die Führung des Volkes zu seinen zukünftigen Aufgaben übernehmen können, weil noch bei keinem von ihnen das neue Lebensgefühl unserer Tage zur Form geworden ist.

So besteht augenblicklich der deutliche Schnitt zwischen alt und jung mehr in der instinktiven Einstellung zum Lebensprozeß an sich, es scheiden sich die Dunamiker von den Mechanisten. Deutschland besteht eigentlich aus drei Völkern. Das erste sind die selbstbewußten, stark dynamischen Westgermanen mit demokratischer Einstellung, das zweite sind die Kolonisationsdeutschen östlich der Elbe mit slawischer Blutbeimischung, die sich unter Autorität am wohlsten fühlten und über dem kategorischen Imperativ die dämonische Seite ihres Wesens ganz verkümmern lassen. Das dritte sind die Süddeutschen mit keltisch-romanischem Bluteinschlag, die weniger der Mechanisierung als vertiefter Lebenskultur zugewandt sind. Das deutsche Wesen besteht aber aus allen drei Komponenten, darum haben wir so wenig weithin sichtbare allgemeingültige Repräsentanten deutscher Art, die wie Goethe die deutschen Wesensarten geistig in sich vereinen.

Wir erlebten aber gerade in den letzten Jahren, daß uns der ›Mensch‹ Goethe immer mehr in seinem Einfluß auf die künftige Formung deutschen Wesens bewußt wird, während der ›Dichter‹ Goethe in unseren Augen vom Mittelpunkt zum Zeitereignis eines vergangenen Jahrhunderts wird. Erkennen wir doch aus der Lebensführung Goethes, daß der im Wesentlichen lebende Mann drei Lebensstufen lebt. Die erste umfaßt die Zeit eines auf Individualismus beruhenden Werdens bis zum vierzigsten Jahre, die zweite wird von der objektiven Einstellung zum tätigen Leben bestimmt, die dritte beginnt Mitte der Fünfziger und sucht im Menschen und in den Dingen das Typische zu erkennen, sie ist das Zeitalter des inneren Schauens. Aber die meisten Menschen kommen gar nicht über die erste Stufe hinaus, und die wenigsten erreichen die dritte. Teils aus mangelnder innerer Kraft, teils, und das ist das zu Ändernde, weil sie falsch, nämlich von außen her, leben.

Dieses falsche Leben hat einfach die Jugend zuerst ganz instinktiv zu einer Reaktion gezwungen, denn das Leben läßt sich nicht auf die Dauer vergewaltigen. Und mit der Jugendbewegung beginnt die Sichtbarwerdung des neuen Lebensgefühls, das einen Riß bedeutet zwischen alter und neuer Zeit, wie seinerzeit zwischen Gotik und Renaissance. Alle Menschen des neuen Lebensgefühls erkennen sich an der von innen her kommenden Forderung, ihr Leben in ›Spannung‹ zu leben, das heißt die Polarität und die daraus sich entwickelnde Synthese der Gegensätze im Schöpferischen als die Grundlage ihres Wollens zu empfinden.

Ein Volk braucht aber zu stetiger Weiterentfaltung immer eine geistige Schicht, innerhalb deren die vorausschauenden Führernaturen zur Auswirkung kommen. Im Mittelalter, zur Zeit unserer Dome,

74

waren es die Kleriker, zur Zeit der Renaissance die Patrizier in den Handelsstädten, in der Zeit des Absolutismus die Hofkreise, bis zum Ausklang des vorigen Jahrhunderts die akademisch gebildete Beamtenschaft, und augenblicklich versucht es, ohne allzu große Aussicht auf dauerndes Gelingen, die Großindustrie. Aber sie vertritt mehr ›Macht‹ wie ›Geist‹, und es ist ein offenes Geheimnis, daß uns nach dem wirtschaftlichen Zusammenbruch des Mittelstandes eine unser kulturelles Leben tragende geistige Schicht fehlt. Wie weit hat aber der Staat in Zukunft noch genügend materielle Mittel, nicht nur, um die traditionellen Kulturaufgaben hochzuhalten, sondern auch neue in Angriff zu nehmen? Stecken wir nicht bereits in der Gefahr der Versumpfung, um mit Spengler zu reden?

Soll nun das Bücherlesen der rettende Ausweg sein? Man kann ebensogut nein als ja sagen. Es kommt weniger auf das Lesen an als auf eine aktive Einstellung zum Lebensprozeß. Also auf die Lebenswerte des Buches selbst. Wir brauchen über die gelehrten Abhandlungen und mit psychologischer Soße schmackhaft gemachten Phantasieerzeugnisse moderner Literatur hinaus einen Typ Bücher, die große Gesichtspunkte für den Lebenskampf geben, die das Wissen zusammenschauen und nicht zerlegen, und deren Verfasser Charaktere sind und darum die Ganzheit des Lebens erleben. Diese Bücher aber kommen herauf, und sie machen alle pessimistischen Voraussagungen zunichte. Seit Anfang dieses Jahrhunderts wird eine bestimmte Schicht von Menschen deutlich, die diese Bücher kauft und liebt. Diese Schicht aber, und das ist das Neue, richtet sich nicht nach Besitz und Stand, sondern geht durch alle Schichten der Bevölkerung durch. Sie ist klassenlos, sie umfaßt Aristokrat, Bürger und Arbeiter, und scheidet sie von der Masse, die nicht bloß im Proletariat, sondern auch in allen anderen Ständen zu finden ist. Und nur auf diese sich bildende Schicht kommt es beim kommenden Aufbau Deutschlands an.«

Die Verlagsentwicklung nach der kulturellen Seite hin teilt sich in der letzten Zeitepoche deutlich in verstärktem Umfang in die »Volkstumsbewegung« und in die »neureligiöse Bewegung«, verbunden mit Bildungsfragen. Eine dritte, die soziale, hebt mit der Volkshochschulbildungsbewegung an und gelangt in Überwindung des Marxismus zur Weiterbildung des Sozialismus. Die älteren Linien werden aber gleichfalls weitergeführt, die Jugendbewegung wandelt sich in ein stärkeres Eintreten für Körperkulturbewegung, die Abteilung Schöne Literatur beginnt einen größeren Umfang zu nehmen.

Die Volkstumsbewegung sucht, wie das Religiöse, den Weg zur Gemeinschaft. Aber auch jeder Individualismus, der etwas anderes ist wie Subjektivismus, braucht das Gemeinschaftserlebnis als den entgegengesetzten Pol. Schon Goethe schreibt einmal in seinen Maximen: »Wer in sich recht ernstlich hinabsteigt, wird sich immer nur als Hälfte finden; er fasse ein Mädchen oder eine Welt, um sich zum Ganzen zu konstituieren, das ist einerlei.«

So heißt es im Katalog 1926:

»Eine Volksgemeinschaft, die das Volk geistig eint und es nicht in einander mißverstehende Klassen auseinanderfallen läßt, bedeutet mehr als ein rein politischer Machtstaat. Der einfachste und zunächst am leichtesten zu gehende Weg dazu ist der, wenn wir uns die organische Entwicklung deutschen Wesens zu eigen machen, nicht orientierend, sondern nacherlebend. Wieder läßt sich dafür ein weisendes Wort Goethes anführen:, Wir brauchen in unserer Sprache ein Wort, das wie Kindheit sich zu Kind verhält, so das Verhältnis Volkheit zum Volke ausdrückt. Der Erzieher muß die Kindheit hören, nicht das Kind; der Gesetzgeber und Regent die Volkheit, nicht das Volk.«

Der Begriff Volk aber erschöpft sich keineswegs in der Fläche des räumlichen und zeitlichen Übereinander der Zeitgenossen, sondern noch entscheidender ist das Nacheinander der Schicksalsgenossen. Denn unsere Zukunft hängt davon ab, daß bei der Bestimmung über den einzuschlagenden Weg in die Zukunft die aus der Vergangenheit heraufklingende Stimme mit gehört wird. Je älter ein Wesenszug in uns, desto wahrscheinlicher ist es, daß er in unseren fernsten Nachkommen noch ebenso wirksam und lebendig sein wird. Die Verwurzelung in dem Zusammenhang geschichtlicher Überlieferung ist der Schwerpunkt, der vor dem Herabstürzen von dem schmalen Grat, den die Gegenwart zwischen Vergangenheit und Zukunft bildet, bewahrt. Heute, wo die schöpferische Kraft deutscher Dichtung im letzten Ausklang zu stehen scheint, heute, wo wir inmitten der schöpferischen Pause stehen, erleben wir den Widerklang des Seelentums, das in früheren Jahrhunderten in deutscher Sprache bereits Gestalt gewonnen hat. Wir kehren zurück zu den Quellen deutschen Denkens, zu dem lebendigen Brunnen unserer Volksdichtung. Aber nicht ihre Formen sind es, die wir suchen, sondern die irrationale Kraft, aus der einst diese Formen geschaffen wurden. Diese Sehnsucht bedeutet Vorbereitung auf neue Schöpfung. Denn Kultur besteht nur durch die produktiven Kräfte des Menschentums, nicht durch bloße Reproduktion des Erbes einer noch so reichen Vergangenheit.

Ist dieser Weg gewissermaßen ein Gang zur Natur, zum Blutwissen, so verlangt er als Ergänzung einen Gang zum absoluten Geist, der die ganze Menschheit umfaßt. Nation bedeutet immer Endlichkeit, Geist aber bedeutet Unendlichkeit. Auf dem Wege der Selbstentfaltung werden wir uns auch bewußt werden, daß die Michelhaftigkeit des deutschen Wesens nicht als etwas unabänderlich Gegebenes, sondern als etwas zu Überwindendes angesehen werden muß.«

So begann der Verlag 1925 nach mehrjähriger Vorbereitung die große Bücherreihe »*Deutsche Volkheit*«, die sich in die zwei Hauptabteilungen Mythos und Geschichte mit je sieben Unterabteilungen teilt und bestimmt ist, weite Volkskreise weniger über ihre Vergangenheit zu »orientieren«, als sie ihnen lebendig zu machen. Sie ist ein künstlerisch wissenschaftliches Unternehmen. Ihm zur Seite steht ergänzend »*Das alte Reich*«, Bände größeren Umfangs, die die Quellen deutscher Kultur von der Zeit Karls des Großen bis zum Beginn der neuen Zeit in Auswahl behandeln. Als drittes Hauptunternehmen gesellt sich eine »*Stammeskunde*« aller deutschen Stämme, die die überkommenen Sagen benutzt, um das Bild des deutschen primitiven Menschen in seinem Verhältnis zu den Naturkräften zu zeichnen. Das alte Reich wird noch im Herbst 1927 ergänzt werden durch eine weitere Gruppe »*Deutsche Vorzeit*«, die das Frühgermanentum behandelt und dadurch eine wesentliche Lücke in der Erkenntnis unseres Werdens ausfüllt. Selbst die Fachhistoriker wissen auf diesem Gebiet wenig Bescheid. Einige weitere Bände von Thule erschienen auch, und 1928 wird dieses einzig dastehende Dokument altgermanischen Denkens bestimmt zu Ende kommen. An das weiter gehende große Unternehmen »*Märchen der Weltliteratur*« knüpfte sich, von Leo Frobenius herausgegeben, das zwölfbändige »*Atlantis*«, das die Volksmärchen und Volksdichtungen Nordafrikas umfaßt, an. »*Arktis*«, das in den Büchern von Carl Schoyen das Volksleben der Lappen und des Nordens von Norwegen schildert, wird sich dann später auch mit den Eskimos auf Grönland befassen. Zu guter Letzt begann der Verlag das auf eine größere Anzahl von Bänden projektierte »*Insulinde*«, das das Schrifttum der Malaien umfaßt. Die alte Welt der Azteken und Inkas erlebte mit ihren Märchen in den »Märchen der Weltliteratur« und mit ihren religiösen Hymnen und Kulten in zwei Hymnenbänden ihre Auferstehung. Eine Reihe Sonderwerke zum deutschen Volkstum begleiten die Serien. Es sei nur auf die Bücher von Eugen Weiß, die Zimmerleute und Steinmetze behandeln, hingewiesen, auf die Riehl-Auswahl »Vom deutschen Land und Volke« und auf Hans Naumann, »Primitive Gemeinschaftskultur«.

Der kommenden *neureligiösen Bewegung* dient die große kosmisch-philosophische Serie »Gott – Natur« als Vortrupp, die gleichfalls Goethe als Paten hat. Sie begann mit einer endgültigen illustrierten Ausgabe seiner morphologischen Schriften, der sich seine Farbenlehre anschließt. Ihr folgte die Herausgabe des Hauptwerkes von Carus und eines Auswahlbandes der romantischen Naturphilosophie. Die Auswahl der Naturphilosophie der Renaissance erscheint 1928. Es schließen sich aber auch an die älteren Ausgaben bereits neuere Schriften an. Der Protestantismus ist bis heute noch nicht zu einer wirklichen Volksreligion gekommen, denn er wendet sich weniger an die Volks-instinkte als an den Intellekt. Die Reformation ist schon im ersten Jahrhundert stehengeblieben, und als sie sich anschickte, in der Rosen-kreutzerbewegung sich zu erfüllen, kam der Dreißigjährige Krieg. Die kommende religiöse Erneuerung braucht daher nähere Kenntnis des Rosenkreutzertums, dem das grundlegende Buch von Will Erich Peuckert über diese Bewegung dient. Diese künftige religiöse Bewegung wird aber sicherlich eine starke Verknüpfung mit den kosmischen Anschauungen suchen und auch an astrologische Vorstellungen an-knüpfen. Diesen Weg gehen mehrere Bücher von Hans Künkel. Der neuen Entwicklung müssen natürlich auch Auseinandersetzungen in-nerhalb der bestehenden Kirchen vorausgehen. So gewannen innerhalb des Protestantismus die Bücher von Friedrich Gogarten eine immer größere Bedeutung und innerhalb des Katholizismus die Bücher von Ernst Michel, die auch zum Teil Goethe umfassen, und das Sammel-buch »Kirche und Wirklichkeit«, von ihm unter Mitarbeit von Romano Guardini, Josef Wittig u.a. herausgegeben.

Den Weg zum kommenden *Sozialismus*, der alle Klassen vereinigen wird, weist als erster *Hendrik de Man*. Eng verbunden mit der Umge-staltung unseres sozialen Denkens ist die freie Volksbildungsbewegung.

Sie erfuhr innerhalb des Verlags ihre Vertretung durch eine Schriftenserie »Die Zeitwende«. Sie erhielt ihre Grundlage durch die erste deutsche zweibändige Herausgabe von Grundtvigs Schriften zur Volksbildung. Die sich anschließende Körperkulturbewegung ist vertreten durch die beiden Systeme Rudolf Bode und Laban und brachte das nach dem Urteil der Fachleute beste Buch über die ganze rhythmische Bewegung in Müllers »Rhythmische Gymnastik«.

Die Weiterführung der *philosophischen Linie* des Verlags ist vertreten durch die Namen Holzapfel, Hans Freyer und Ludwig Klages. Dann vermehrte Nestle die Vorsokratiker um zwei weitere Bände, Sokratiker und Nachsokratiker, und gab dadurch ein dreiteiliges handliches Anschauungswerk der gesamten griechischen Philosophie bis Plotin in ihren wesentlichsten Quellen für alle philosophisch Interessierten.

Die künstlerischen Bücher des Verlags erfuhren Erweiterung durch ein Buch von Bruno Taut über die Stadtkrone, Bücher zweier Maler (Wagner und Lothar von Kunowski) über das Wesen der Kunst. Vor allen Dingen aber durch das große zweibändige Werk von Richard Benz »Die Stunde der deutschen Musik«. Auch die Briefe Richard Wagners an Hans von Bülow wurden veröffentlicht. Hans Thoma schrieb seine Lebenserinnerungen und über Lichtwark erschien die erste Biographie von Anna von Zeromski. Etwas Zukunftsweisendes nahm der Verlag auf, indem er die beiden religiösen Graphiker der Jetztzeit, Gustav Wolf und Max Thalmann in großen Mappenwerken brachte. Mit diesen beiden Künstlern setzt die kommende religiöse Kunst auf dem Gebiet der Graphik ein.

Die Serien »Religiöse Stimmen der Völker«, »Die Religion und Philosophie Chinas« sowie das »Zeitalter der Renaissance«, die durch den Krieg unterbrochen waren, wurden wieder weiter geführt.

Auf dem Gebiet der schönen Literatur tauchten einige neue Namen auf. Lulu von Strauß und Torney ging mit ihren sämtlichen Werken in den Verlag über. Ina Seidel, Lou Andreas-Salome, Agnes Miegel brachten neue Romanbände. Hans Friedrich Blunck, Ernst Schmitt, Victor Meyer-Eckhardt, Otto Gmelin, Karl Lieblich, Hermann Graedener gehören zu den neu heraufkommenden Schriftstellern, die durchzusetzen der Verlag bemüht ist.

Bis zum 1. Januar 1927 umfaßte die Verlagsproduktion 1413 Bände. Eine stattliche Zahl, aber immerhin noch nicht so viel wie die eines anderen Jenaer Verlegers, Johannes Bielke, der Ende des 17. Jahrhunderts lebte. Er hatte es auf 2203 Bände gebracht und gilt bis heute als der produktivste aller deutschen Verleger, trotzdem die Allgemeinheit seinen Namen gar nicht kennt. Zugleich war er auch Bürgermeister.

Die Zukunftsfrage: Gelingt es dem deutschen Volke, sich aus seiner Eigenart heraus endgültig zu gestalten? wird dadurch entschieden, ob es ihm gelingt, sich entscheidend mit dem Amerikanismus auseinander zu setzen, der alles rettungslos zu mechanisieren droht. Mit großer innerer Freude bringt darum der Verlag jetzt das entscheidende Buch darüber, das das »Entweder-Oder« aufzeigt. Es nennt sich »*Halfeld, Amerika und der Amerikanismus*«. Schon früher gingen allerlei Bücher über Amerika voraus, in erster Linie das von Wells über die Zukunft Amerikas, die beiden Bücher von Müller über Volksbildungswesen und religiöses Leben, das Buch von Voechling über die amerikanische Frau und Bücher von Vershofen über das Finanz- und kaufmännische Gebaren in Romanform. Ein ganz besonders wichtiges Buch über das Verhältnis des ältesten Amerika zu Europa wird Hetman Wirth herausbringen. Es bringt, gestützt auf archäologische Funde, Schriftzeichen und Mythos, den Nachweis des Zusammenhangs seiner älteren Kultur mit Europa bis etwa zum Jahr 9000. Zu dieser Zeit ist dann logischerweise der Untergang von Atlantis anzusetzen.

Als ich im Herbst 1925 eine Reihe öffentlicher Vorträge in den Hansastädten über den Verlegerberuf hielt, faßte ich den Schluß meiner dortigen Ausführungen in folgende sieben Thesen zusammen; die Zukunft wird entscheiden, ob ich richtig sehe.   81

These 1

»Nicht in einer einseitigen Entwicklung zur Technik oder im amerikanischen Mammonismus liegt unsere deutsche Aufgabe, sondern wir haben in unsere Berufsarbeit einen metaphysischen Sinn zu legen.«

Technik bringen auch Amerikaner, Engländer, Franzosen und Italiener fertig, metaphysisch veranlagt ist nur das deutsche Volk. Infolge seines nordischen Blutes ist der Deutsche ideenhaft, infolge seiner Blutmischungen aber aktiver als die anderen europäischen Völker. Die Aktivität ist bei ihm so stark, daß er die Arbeit erforderlich für die

Formung der Lebensbindungen hält, sie wird ihm daher eine überpersönliche Forderung zur Entfaltung des Ich.

These 2

»Die augenblickliche Aufgabe Deutschlands liegt negativ in der Abkehr vom Materialismus, positiv liegt sie auf religiösem Gebiete wie zur Zeit der Reformation in der Aufgabe einer religiösen Neubildung.«

Es handelt sich aber nicht darum, das Urchristentum wieder neu zu beleben, sondern im Sinne Goethes eine vertiefte Anschauung zum Kosmischen zu gewinnen und den Gott-Begriff von seiner Vermenschlichung zu lösen. Wir stehen gewissermaßen vor der Aufgabe, das geistige Urphänomen zu erkennen, indem wir die Wachstumsgesetze des geistigen Lebens vom Körpergefühl bzw. der Körperkultur aus erfassen.

These 3

»Die Grundlagen des zukünftigen religiösen Lebens beruhen in einem tragischen Lebensgefühl und in dem Schicksalsgedanken.«

Tragisches Lebensgefühl hat nichts mit der Weltanschauung des Pessimismus zu tun, es ist gewissermaßen das Begleitgefühl zum Kristallisationsvorgang der Persönlichkeit. Nur zwei Völker besitzen es in ihrem religiösen Mythos, die alten Griechen und die alten Germanen. Der Schicksalsgedanke geht gleichfalls bei beiden Völkern parallel, in ihm kristallisiert sich das Gefühl der Abhängigkeit von kosmischen Mächten.

These 4

»Daraus ergibt sich, daß nicht das starre Gesetz: ›Du sollst!‹ herrschen darf, sondern daß als religiöses Urphänomen die geistige Spannung zwischen Materie und Geist gilt. Es fußt auf der Erkenntnis der Polarität als kosmisches Gesetz.«

Also eine Abkehr von traditionellen Moralbegriffen zugunsten der Dynamik des aus dem Unmittelbaren heraus und in der Spannung lebenden Menschen. Das Wort Idealismus ist abgewirtschaftet, weil seine Einstellung logozentrisch und daher nicht in der Spannung der beiden menschlichen Wesenheiten beruht. Jede menschliche Individualität ist in der Anlage naturbedingt unvollkommen. Die Kultur aber der einseitig auf sich gestellten Einzelpersönlichkeit oder einzelner Schichten führt daher immer zu Scheinkultur, sie ist nie universal. Eine Kultur des Ganzmenschentums ist nur durch die Beziehung der Individualität auf die Volksgemeinschaft und weiterhin auf die Weltgemeinschaft möglich. Aber alles Handeln und Erkennen wurzelt in der »Erdkraft«, denn man baut nicht ein Haus von oben, sondern von unten. Es kommt mehr auf die innere Haltung an als auf Wissen.

These 5

»Tritt das Leben und Denken aus der Unmittelbarkeit des Lebensprozesses heraus, führt es über das symbolische Erleben des Typischen zu einem *neuen Myth* os.«

Der Gott-Begriff dieses neuen Mythos ist die Verpflichtung zum geistigen Leben. Wir überwinden die anthropomorphe Vorstellung des persönlichen Gottes durch die Verpflichtung zum geistigen Leben und begründen diese durch das Spannungsgesetz der Polarität. Der Gegenspieler des Grundprinzips unseres Planeten, der Anziehung der Schwerkraft zur Erde, ist der geistige Auftrieb zum Kosmos hin. Jener bedingt allein die menschliche Würde, die Gottesverwandtschaft des Menschen.

These 6

»Die Form des neuen Mythos bedeutet ein organisches Erleben kosmischer Gesetze.«

Sein Inhalt nähert sich nicht der Form des altgermanischen Walhalla-Glaubens oder des griechischen Olymp, sondern geht in der Richtung der Goetheschen Entelechie und fordert ein weiteres Tätigkeitserleben über die Erdentätigkeit hinaus. Erinnern wir uns auch Goethes orphischer Worte und seines Glaubens der Schicksalsverbundenheit mit der Sonne und ihren Planeten. Damit wird der Tod zu einer weiteren Wandlung des Lebens, er ist nicht Vernichtung.

These 7

»Die Grundforderung alles neuen Werdens ist daher: Fange bei dir selbst an, stelle an dich selbst die höchsten Anforderungen, ehe du welche an andere stellst.«

Die Urzelle aller menschlichen Kultur ist die menschliche Individualität. Der nächste Schritt ist Zellenbildung und Gruppenbildung. Kultur entwickelt sich nie durch Organisation. *So wird der Sinn des Lebens durch Denken, dem Tun vorausgeht, gefunden; denn Diesseitswirken und Ideenwelt müssen in Spannung stehen. Metaphysisches Denken erfordert als Gegenpol soziales Handeln.*

Alles Denken zur Zukunft geht bei mir vom Beruf als von der Wurzel meines Lebens aus. Es würde für mich spintisieren bedeuten, wenn ich nicht auch zugleich versuchte, mein Denken in die praktischen Berufsfragen zu übertragen. Dem Buchhandel ist die »Lauenstein-Bewegung« mit ihren fünf Tagungen auf Burg Lauenstein und einer in Nürnberg bekannt. Ich versuchte durch sie die innere Auffassung von der Verpflichtung des Buchhändlers gegenüber der Volksgemeinschaft zu formulieren. Die nächste Aufgabe war, die Fortbildung buchhändlerischen Nachwuchses in Angriff zu nehmen, und als letzte Konsequenz ergab sich dann mein Eintreten in den Kampf um die Schutzfrist vom Interesse der Volksgemeinschaft aus.

Ich fühle mich in gleicher Phalanx mit so manch anderem gleichstrebenden deutschen Verlag. Seit einem Menschenalter hat der nach Selbstentfaltung strebende Mensch eine unendlich reiche Auswahl von wertvollen Büchern.

Es fehlt uns nur noch die Tat. So gelten Hölderlins Worte noch heute für uns:

Spottet ja nicht des Kinds, wenn es mit Peitsch und Sporn,
Auf dem Rosse von Holz mutig und groß sich dünkt,
Denn, ihr Deutschen, auch ihr seid tatenarm und gedankenvoll.
Oder kömmt, wie der Strahl aus dem Gewölke kömmt,
Aus Gedanken die Tat? Leben die Bücher bald?
O ihr Lieben! So nehmt mich, daß ich büße die Lästerung!   84

Literarische Begegnungen

Der Bericht über Leben und Arbeit würde unvollständig sein, wenn ich nicht noch einiges von meinen Begegnungen mit Autoren und anderen Schriftstellern erzählen würde. Ich möchte aus meinen Erinnerungen sozusagen einen Strauß Blumen pflücken und nicht etwa eine systematische Betrachtung über das Verhältnis von Verleger und Autor schreiben.

Ich habe in der Regel zu allen meinen Autoren ein stark persönliches Verhältnis gehabt. Deswegen braucht man nicht mit ihren Ansichten durch Dick und Dünn zu gehen. Es ist wie in der Ehe. Jeder bleibt seine eigene Individualität und Lebenskunst ist, sich vertragen zu lernen. Schließlich kann kein Schriftsteller ohne Verleger leben und *vice versa*. Dreißig Jahre Verlagsleitung bringen es ganz allein mit sich, daß man nicht nur seine eigenen Autoren, sondern auch die Autoren anderer Verleger kennenlernt, sei es bei irgendwelchen geselligen Veranstaltungen, sei es auf Kongressen und Reisen durch gemeinsame Bekannte. Schließlich ist alles, was da kreucht, fleucht und schreibt – ein moderner Till Eulenspiegel bezeichnete es einmal als Federvieh – eine geistige Republik mit viel persönlichem Klatsch. Zwischen Klatsch und Klatsch ist aber ein Unterschied, es gibt auch sozusagen einen Edelklatsch. Das sind Geschichten, die den anderen charakterisieren, meistens seine Schwächen. Und so muß ich sagen, ich bin eigentlich immer in gutem Bilde über alle literarische Repräsentanten der geistigen Kräfte unseres Volkes gewesen. Als Verleger macht man auch Rundreisen an die Universitäten und besucht nicht nur ihre Koryphäen, sondern ganz besonders ihre jungen Privatdozenten, denn die produzieren nach meiner Auffassung die aussichtsreichsten Verlagsobjekte. Auch mit den Politikern kommt man nach und nach, zumal im späteren Alter, zusammen. Kurz und gut, wenn ich von meinen menschlichen Berührungen innerhalb der geistigen Republik Deutschland erzählen wollte, würde ich wohl nicht gleich fertig werden.

85 Manche Namen, wie Peter Hille, Liliencron, Otto Julius Bierbaum und meinetwegen der Philosoph Eduard von Hartmann oder der Rassenforscher Ludwig Woltmann, klingen, als gehörten sie einer längst vergangenen Generation an. Als ich vor nahezu dreißig Jahren Wedekind kennenlernte und ihm nebenbei erzählte, ich wolle Novalis herausbringen, meinte er, den kaufe doch niemand. Heute verstehe ich sehr gut, warum er diese Ansicht haben mußte.

Meine erste literarische Begegnung geschah aber schon in meiner Landwirtszeit. Da lernte ich durch einen Enkel des schönen Fischermädchens sie selbst, die durch Heinrich Heine unsterblich gewordene Lotsentochter von Helgoland, kennen. Sie hatte später einen hannöverschen Offizier geheiratet und war eine Frau von dem Bussche-Lohe geworden. Jetzt war sie eine freundliche Großmutter inmitten altertümlichen Hausrates mit vielen Photographien auf Tischen und an den Wänden.

Dann ist mir als Naumburger in jener Zeit auch manchmal *Friedrich Nietzsche* als Kranker begegnet, zumal auf den gemeinsamen Spaziergängen in der Mittagsstunde mit seiner Mutter im Walde. Ich kann mich seines Aussehens noch sehr gut erinnern, hauptsächlich aus der Zeit nach seiner Bekanntschaft mit Langbehn, wo es schien, als könnte er doch wieder gesunden. Ich muß sagen, er sah damals nicht so stilisiert als Denker aus, wie man ihn aus den Radierungen des späteren Krankenlagers kennt. Der etwas buschige Schnurrbart hing zwar über den Lippen, aber sonst hatte er rote Backen und die braunen Augen blickten durchaus freundlich, nur die Haltung war etwas zusammengesunken. Gar zu gern hätte ich, wenn ich beiden im Walde begegnete, ihn angeredet, oder ihm ein paar Blumen in die Hand gedruckt, aber ich scheute mich, irgendein Erschrecken bei ihm hervorzurufen. Die Naumburger hatten damals noch keine Ahnung, wen sie in ihren Mauern hatten, und als ich von meinen italienischen Wanderungen im dortigen Kreisblatt berichtete, hatte ich deshalb das Prinzip, daß bei jedem Reisestimmungsbericht einmal der Name Nietzsche

86 kommen mußte.

Als er 1900 gestorben war, nahm ich sowohl an der Totenfeier im Archiv in Weimar mit teil, als auch an dem Begräbnis in Röcken bei Lützen. Es war ein besonderes Glück, daß ich ihm nach Beendigung der Totenfeier noch einmal ins Auge blicken durfte. Wenige Menschen waren zurückgeblieben. Peter Gast nahm noch einmal besonders von ihm Abschied, indem er das Tuch vom verhüllten Antlitz zurückschlug. Wie edel geformt lag die Stirn da, kein kranker Ausdruck war im Gesicht, mehr wie ein fernes Sehen stand auf ihm geschrieben, denn die braunen Augen waren weit offen. Draußen aber vor der Veranda lärmten die Krähen und ich dachte an sein Gedicht:

> Die Krähen schrein
> Und ziehen schwirren Flugs zur Stadt.
> Bald wird es schnein.
> Weh dem, der keine Heimat hat.

Zum Begräbnis in Röcken fuhr ich dann von Leipzig aus mit Nietzsches Verleger Naumann, der ja eigentlich mehr sein Buchdrucker war als ein wirklicher Verleger. Gewiß hat ihn dieser gewissenhafte, freundliche Kollege als Drucker nie übers Ohr gehauen. Wir sprachen von Nietzsches Büchern. Naumann gestand mir, daß er viele Jahre kein Wort von ihm gelesen hätte. Aber als er nun berühmt geworden sei, habe er doch eines Abends sich dazu hingesetzt. »Da war ich verwundert« – sagte er wörtlich – »was es für merkwürdige Dinge in der Welt gibt.« Wie altmodisch gegensätzlich zu dem Weltbürger Nietzsche und doch wie heimatlich für den in sein Kinderland zurückkehrenden großen Toten war dieser Friedhof mit seinen Obstbäumen, und seine Grabstätte ist direkt an der schützenden Kirchenmauer.

Ich mache gleich einen großen Sprung von Nietzsche zu *Georg Brandes*, den ich mehrmals gelegentlich Kopenhagener Aufenthalte in späteren Zeiten besuchte. Als Kuriosum habe ich mir seinen letzten Brief, der mich ihn zu besuchen aufforderte, aufgehoben. Er trug die Überschrift: Geehrter Herr Kollege! Ich hatte ihm kurz vorher einen Aufsatz von mir geschickt. Nun, ich weiß durchaus Distanz zwischen schöpferischen Geistern und organisatorischen Helfern zu halten. Es war wohl mehr ein liebenswürdiges Versehen. Damals – es war am Ausgang des Krieges – drehte sich unser Gespräch hauptsächlich um die schleswigsche Frage. Er stand durchaus nicht auf dem Standpunkt, daß Deutschland etwa Nordschleswig zurückzugeben habe, aber erzählte allerhand von den unnötigen Schikanen der deutschen Regierung. Unser Gespräch kam auch auf seine Beziehungen zu Nietzsche. »Wissen Sie«, sagte er zu mir, »daß es sich mit der Nietzsche-Peitsche im Sinn ganz anders verhält, als wie das Wort sonst zitiert wird? Ich habe noch die Photographie gesehen, von der aus der Satz in die Welt ging. Nietzsche und Paul Ree zogen beide an einem Handwagen, auf dem die Lou Salome mit einer Peitsche stand, und darunter stand eben jenes Wort: Wenn du zum Weibe gehst, vergiß die Peitsche nicht.« – Ein Gespräch mit Brandes wirkte immer fast wie ein Sektrausch. Man spürte, man war nicht in Dänemark, sondern saß irgendwo in der Provence bei einem guten Glas Wein oder Champagner. Es war, als wenn man einen Franzosen als Gegenüber hätte.

Den tiefsten menschlichen Eindruck unter den dänischen Schriftstellern hat mir aber immer *Andersen-Nexö* gemacht, kindhaft naiv und vergeistigt zugleich. Wir gingen einmal längere Zeit auf der Landstraße, und ich erzählte ihm von den Lebensschicksalen Karl Brögers. Da bestätigte er mir, daß er gleichfalls seine entscheidende Entwicklung im Gefängnis durchgemacht habe. Gerade in der Einsamkeit komme man erst, sagte er, wie in einer Krankheit, zu sich selbst und erlebt dadurch das meiste.

Ein ganz anderer Typus war *Hölger Drachmann*, den ich einmal in Skagen, der nördlichsten Spitze Jütlands, besuchte. Ich hatte eine Empfehlung von seiner Schwägerin, der norwegischen Lautensängerin Bokken Lassen an ihn. Die nordische Monna Lisa hatte sie einst Georg Brandes genannt. Er war eine hagere, große Wikingergestalt mit scharfer Nase, weißen dichten Haaren und hatte leuchtend blaue scharfe Augen. Ein Liebling der Frauen und ewiger Troubadour. Ich hatte bei ihm das Pech, beim Kaffeetrinken meine Zigarrenasche im Milchtopf abzustreichen. Damals hatte er wohl seine siebente legitime Frau. Jetzt liegt er längst unweit Skagen einsam im Dünensand begraben, und Winde und Sand wehen um sein Grab.

Als ich *Henrik Pontoppidan* nach einem Zeitraum von zehn Jahren das zweitemal besuchte, war sein Gesicht ganz verändert. Ich sagte zu ihm: »Früher sahen Sie doch so faustisch durchlitten aus und jetzt sind Sie ein gütiger harmonischer Mensch.« – »Ja«, antwortete er, »das macht das Lebensalter. Ich bin jetzt dahin gekommen, wohin ich kommen wollte.«

Dagegen gehörte *Ellen Key* in keinerlei Lebensalter zu den resignierten Menschen. Sie ist öfters in Jena in meinem Hause gewesen, und ich habe sie dann auch mehrmals in Schweden auf ihrem Alterssitz Alvastra am Wettersee besucht, noch zuletzt während des letzten Kriegsjahres, und wir sprachen über ihr Verhältnis zu Deutschland. Es war ihr sehr schmerzlich, daß sie zu Unrecht als Deutschfeindin verdächtigt war. Sie hatte natürlich auch mancherlei seelische Verbundenheit mit der Kultur Frankreichs und Englands, was ja eigentlich selbstverständlich ist. Ich blieb damals bei ihr über Nacht, und es wurde an diesem Abend viel Beethoven gespielt. Ganz merkwürdig berührte es mich, wie sie im Gegensatz zu früher eine geradezu strenge Einstellung zu den Eheproblemen hatte und das selbst gar nicht merkte. Es war wohl ihr Alter die Ursache dazu, das eben soviel Menschliches ins Verstehen erlebt hatte, um fern aller Theorie zu wissen, wie notwendig Ordnungen sind, die den Menschen zur Begrenzung von außen gesetzt werden müssen.

Wie anders als Ellen Key, die sich in Alvastra sozusagen als eine Art heilige Brigitte fühlte – man merkte das deutlich z.B. in der Liebe zu ihren Blumen –, lebt *Selma Lagerlöf* auf ihrem väterlichen Gute Morbaka in Värmland unweit jenes Sees, den sie samt seiner Umgebung durch Gösta Berling weltberühmt gemacht hat. Man kann nicht anders, wenn man sie besucht, als nach Gösta Berling fragen. Sie ist ganz Gutsherrin, und das massive Herrenhaus ist mit großem Geschmack ausgebaut, die Zimmer wirken mit ihren Möbeln schloßmäßig. Fast männlich klar und immer noch elastisch wirkt die volle und hohe Gestalt der gar nicht mehr jungen Frau. Beide waren in ihrer Jugend Lehrerinnen. Selma Lagerlöf hält heute noch zu ihren Besuchern Distanz, während Ellen Key von jeher ausströmende mütterliche Güte war. So konnte sie manchmal in Jena den ganzen Tag Menschen empfangen und war abends nur um so frischer.

Eine andere Art Heimstätte mehr nach isländischem Individualismus zu hatte sich Svend Fleuron auf seiner Besitzung am Lyngby-See unweit Kopenhagen eingerichtet. Ein isländisches Gehöft besteht stets aus einer Reihe von Häusern, deren jedes seinem bestimmten Zwecke dient. So hatte Svend Fleuron ein eigenes Holzhaus, Frau und Tochter ein zweites, der Sohn ein drittes. Man erwartet, einen ganzen Tiergarten um ihn versammelt zu finden, aber nicht einmal ein Hund ist sein Hausgenosse. Er lebt eben Sommers über in der großen Einsamkeit der nordischen Wälder. Als ich ihn besuchte, war er gerade aus Lappland zurückgekommen. Eigentlich ist er kein echter Däne, wie er mir erzählte, seine Vorfahren waren Vlamen. Doch macht er in seiner Blondheit und mit seinem willensmäßig gestrafften Gesicht doch noch ganz den Eindruck eines dänischen Offiziers.

Es hat mir immer später leid getan, daß ich nicht rechtzeitig zu *Tolstoi* nach Jasna Poljana gefahren bin, war ich doch lange Zeit sozusagen sein Hauptverleger für Deutschland und mehrmals hat er mich grüßen lassen. Sein naher Freund Tschertkow lud mich einmal zum Besuch der Tolstoi-Kolonie in Christchurch am englischen Kanal ein. Als ich fortfuhr, hatte ich das Gefühl: jetzt mußt du dir dort die Stiefel selbst wichsen. Aber ich wurde von ihm in einem englischen Hotel untergebracht und sah dann an seiner Erscheinung, daß er sich wahrscheinlich seine Stiefel auch wichsen ließ. Es tauchten damals große Pläne auf. Ich sollte die russischen Ausgaben einiger im zaristischen Vaterland unmöglichen Geister von Deutschland aus vertreiben. Auch mit Fürst Krapotkin wechselte ich darüber einige Briefe, doch ein schüchterner Versuch blieb nach einem Jahre stecken. Diese Aufgabe führte mich zu weit weg. – Vielleicht lag es an diesen Verbindungen, daß ich 1912 beim Verlassen Rußlands an der Grenzstation auf dem Wege von Kiew nach Lemberg zu einer hochnotpeinlichen einstündigen Untersuchung abgeführt wurde. Besonderes Interesse hatte man für die Notizen in meiner Brieftasche. Ich mußte ein russisches Protokoll unterschreiben, von dem ich nicht das Geringste verstand. Dann konnte ich noch schnell in den Zug einsteigen, der rücksichtsvoll gewartet hatte. An diesem Tage hatten alle Züge bis Karlsbad hin deswegen eine Stunde Verspätung. Die polnischen Gastfreunde in Krakau nahmen mich aber um so wärmer auf.

Deutlich steht noch vor meinen Augen eine gemeinsame eintägige Wanderung mit *Masaryk*, dem jetzigen Präsidenten der tschechoslowakischen Republik. Er war damals noch Universitätsprofessor und Politiker zugleich und wohnte in Schandau in der Sommerfrische, wohin er mich einlud. Wenn man einen Tag lang zusammen in schöner Natur wandert, kann man sich viel erzählen. Ich war ganz erstaunt über Masaryks innere Beziehungen zu allen europäischen Kulturen, er ist wirklich ein europäischer Geist. In der deutschen Kultur war er ebenso zu Hause, wie in der russischen. Und das nicht allein, er kannte auch Amerika sehr gut. Mancherlei erzählte er mir auch von seinen Kämpfen mit dem Katholizismus. Er war dann aus der Kirche ausgetreten, was für einen österreichischen Universitätsprofessor allerhand Hindernisse in seiner Karriere brachte. Als er bei Ausbruch des Krieges geflohen war und zuerst in Genf lebte, schrieb er mir damals einen Brief, in dem es heißt: »Ich habe einige Kriegspublikationen Ihres Verlages verfolgt und auch Ihre Äußerungen gelesen. Und das führt mich zur Hauptsache: Ich denke soviel über Deutschland und in *concreto* über meine deutschen (reichsdeutschen) Bekannten und Freunde nach, der Krieg ist mir eine Gewissensfrage, und gerne möchte ich mit Ihnen und den übrigen die Dinge besprechen, leider kann ich nicht nach Deutschland kommen. Ich würde festgenommen werden.«

1911 besuchte ich den Führer der französischen Philosophie *Henri Bergson* in Paris. Ich hatte ihn mir in seinem Aussehen anders vorgestellt. Es lag eigentlich wenig Intuitives in seinem Äußeren, denn er war sehr beweglich. Als ich ihn fragte, wer ihn am meisten von den heutigen deutschen Philosophen interessierte, nannte er Dilthey und speziell den Grafen Keyserling, dessen »Gefüge der Welt« er gelesen hatte. Mein Französisch war ziemlich mangelhaft, aber durch die Liebenswürdigkeit der Aufnahme ging es besser, als ich mir zugetraut hatte. Bergson konnte zwar deutsch lesen, aber doch nicht deutsch sprechen. Als dann kurz vor Ausbruch des Weltkrieges der andere führende französische Philosoph Emile Boutroux nach Jena kam und entsprechend gefeiert wurde, war auch ein junger Belgier zugegen, der einer von Bergsons Schülern gewesen war. Er erzählte mir im Gespräch, daß er gerade kürzlich bei Bergson gewesen wäre und jener ihm von meinem Besuch gesprochen hätte. Wissen Sie, was Bergson von Ihnen gesagt hat, Sie können stolz darauf sein. Er sagte: *C'est un homme.* Nun, ich habe es ganz gern geglaubt.

Mit *Maeterlinck* wurde ich persönlich bekannt, als er 1902 nach Deutschland kam und in einem großen Bankett seitens der Berliner Schriftstellerwelt gefeiert wurde. Er hatte kurz vorher in Frankreich Deutschland »Das Gewissen der Welt« genannt, und so war die Aufnahme in Berlin sehr festlich. Sudermann hielt die Begrüßungsrede.

Am anderen Tag fuhr ich mit ihm nach Dresden. Ich führte ihn dort herum, und natürlich waren wir auch zusammen in der Galerie. Es war ganz interessant, welche Bilder er mochte und welche nicht. Ihn interessierten nur die Primitiven. Für Max Klinger hatte er z.B. nur ein ablehnendes Lächeln. Seine Freundin, die Georgette Leblanc, pflegte dann immer vor den Bildern haltzumachen, deren mittelalterliche Kostüme ihr Anregung zu eigenen Kleidern gaben. Mir fiel die Ängstlichkeit Maeterlincks auf, sobald sich ein neuer Besuch meldete, z.B. der Intendant des Theaters. Er mußte dann erst gewissermaßen eine innere Regung der Menschenscheu überwinden. Auch elegante Lokale liebte er gar nicht. Am liebsten war ihm ein primitives Lokal ohne Tischtücher. Er war eben doch mehr Vlame als Pariser.

Natürlich bin ich auch manchmal bei *Carl Spitteler* in Luzern gewesen, und der eine Besuch nach Ausbruch des Weltkrieges zur siebzigsten Geburtstagsfeier hatte sogar weittragende Folgen. Eine große Hetzkampagne in der deutschen Presse setzte gegen mich ein, die – ganz deutlich konnte ich es merken – von einer gewissen Stelle in München aus arrangiert wurde. Es hatte schon längst in den Zeitungen gestanden, daß ich bei der Feier mit anwesend war. Da, nach sechs Wochen ging der Angriff gegen mich in der Presse als vaterlandslosen Gesellen systematisch los. Wie es nun immer ist, man bekommt dann eine Reihe anonymer Postkarten, meistens vom Stammtisch aus, aber keiner hat den Mut, seinen Namen zu unterzeichnen. Wenn jemand Anlaß gehabt hätte, Spitteler zu zürnen, so war ich es als sein Verleger, denn er war gerade durch den Nobelpreis so weit in der Anerkennung Deutschlands gekommen, daß seine Bücher ein großes Geschäft geworden wären. Und nun verdarb er es mir mit einer einzigen Stelle seiner Rede. Die Leute, die gegen Spitteler tobten, hatten seine Rede überhaupt nicht gelesen, sondern kannten nur die ominöse Stelle. Gewiß hätte sich Spitteler weniger scharf ausdrücken können, aber ich kannte ihn persönlich doch zu gut, um zu wissen, wie er als neutraler Schweizer nicht nur Deutschland liebte, sondern auch in mancher Seite seines Wesens mit einem Wort »Europäer« war. Natürlich benutzte ich auch meinen Besuch, um mich mit ihm über seine Rede auszusprechen, und ich fand nur bestätigt, was ich wußte, daß er dem deutschen Volke gegenüber sehr warme Gefühle hatte, weniger aber gegenüber seiner Regierung. Damals aber herrschte die Kriegspsychose nicht nur in Deutschland, sondern auch in aller Welt. Aber kürzlich erlebte ich die Genugtuung, daß ein Führer der Hakenkreuzler zu mir kam und sagte: Ich habe vor kurzem Spittelers Rede gelesen und gesehen, daß wir ihm in Deutschland damals unrecht taten; ich werde das noch wieder gutmachen. Aus dem Schützengraben aber erhielt ich damals von der Jugend allerhand Zuschriften, man begriffe einfach nicht, wie man sich zu Hause über jenen Satz, der unseren Einbruch in Belgien betraf, aufregen könne. Man solle doch den »Olympischen Frühling« lesen, dann wisse man, was man von Spitteler zu halten habe. Spitteler gehörte auch im Aussehen zu der Generation Gottfried Keller, Conrad Ferdinand Meyer, Böcklin, er hatte etwas Distinguiertes in seiner Erscheinung. Er war der einzige Schweizer Schriftsteller, der kein Schwyzer Dütsch sprach, und er fiel auch sonst aus der schweizerischen Schriftstellerwelt dadurch heraus, daß er immer Weltmann war, weniger auf Biederkeit gestellt als auf Würde. Merkwürdig war die Iris seiner Augen, sie war nicht ganz gerundet, sondern sie ging wie ein Zickzack in das Weiße hin aus. Vielleicht war dies der äußere Ausdruck seiner Veranlagung, in kosmischen Visionen zu leben.

Auch mit einer anderen verehrungswürdigen Gestalt der schweizerischen Literatur kam ich öfters zusammen, mit J.V. *Widmann* in Bern, dem Freund Spittelers, der ihm zuerst in der Anerkennung seiner Landsleute die Bahn gebrochen hatte. Er war immer ein treuer Freund des Verlages, der mancherlei für ihn im »Berner Bund«, dessen Redakteur er war, tat. Als ich ihn zuletzt besuchte – er wohnte etwas draußen vor der Stadt –, geriet ich in einen Regenschauer und kam dadurch etwas durchnäßt an. Sofort mußte ich meinen Rock ausziehen und in seinen eigenen Schlafrock hineinkriechen. In Widmanns Wesen war eine große väterliche Güte, die sich für jedes Schweizer Talent, das hochkommen wollte, einsetzte.

Auch *Paul Heyse* lernte ich noch wenige Tage vor seinem Tode kennen. Es war wohl der letzte Besuch, den er annahm. Das Gesicht des schönen Götterjünglings, wie er in der Jugend genannt wurde, trug schon stark die Spuren des Verfalls, aber die frühere Männerschönheit leuchtete noch durch, nur drehten sich seine Gedanken fast nur um sein Befinden, was ja ganz natürlich war. Wir verhandelten über die Herausgabe von ein paar Renaissancelustspielen innerhalb der »Quellen der Renaissance«. Er hatte sie wegen ihres anstößigen Inhaltes

94

früher nicht herausbringen wollen, jetzt aber, im Rahmen eines wissenschaftlichen Unternehmens, war er dazu bereit.

Es werden wohl nur noch wenige im Buchhandel aus eigener Erinnerung wissen, daß ich das Erstlingsbuch von *Hermann Hesse* verlegte. Er hat es dann später zurückgezogen, und ich machte dann eine Erfahrung, die sich öfters wiederholte. Autoren, die einen erst himmelhoch bitten, sie zu verlegen, sagen dann später: »Hätten Sie es doch abgeschlagen.«

»Wie mans macht, so macht man es falsch« heißt ein alter Thüringer Wandspruch, aber manchmal macht man es doch auch richtig, wie z.B., als ich den »Wehrwolf« von *Hermann Löns* verlegte, den sein sonstiger Verleger wegen einer Stelle als unanständig abgelehnt hatte. So kam ich zu einem meiner gangbarsten Autoren und auch einem der menschlich interessantesten. Löns lebte einmal ein paar Wochen in meinem Hause. Es war eine besonders kritische Zeit seines Lebens. Ich hatte damals den Eindruck, daß er an Verfolgungsideen litt, und es war schwer zu entscheiden, was man bei ihm für normal oder nicht normal halten sollte. Wir sind dann bis zum Kriegsausbruch immer zueinander in naher persönlicher Beziehung geblieben. Ich kenne mancherlei von seinen intimeren Schicksalen und schüttele manchmal über die sogenannten Löns-Forscher den Kopf, die große Bücher über ihn und seine Werke schreiben, aber immer wie die Katze um den heißen Brei um das eigentlich Tragische und Dämonische seines Wesens herumgehen. Jedenfalls war es eine Erlösung für Löns, daß er den Tod auf dem Schlachtfeld fand. Er war in den letzten Jahren seines Lebens ein tiefunglücklicher, zerrissener und ich möchte fast sagen hilfloser Mensch. Auch das Auf-die-Jagd-Gehen machte ihm schon seit vielen Jahren keinen Spaß mehr, er mochte nicht mehr schießen, sondern höchstens nur beobachten. Ganz merkwürdig ist auch, fast schicksalhaft, das Verschollensein seiner Gebeine. Er hatte ein Einzelgrab auf dem Schlachtfeld mit deutlicher Bezeichnung seines Namens auf einem Holzkreuz. Als vor etwa zwei Jahren die Gräber auf einem gemeinsamen Friedhof zusammengelegt werden sollten, ist sein Sarg in der Verwirrung einfach zwischen andere geraten. Er wurde unauffindbar, und so ist sein Wunsch in Erfüllung gegangen, den er in seinen Gedichten aussprach, daß er unbekannt in der Erde liegen wolle.

Wie anders war das Lebensschicksal von *Hans Thoma,* in dessen ehrwürdiges Greisengesicht ich nie genug schauen konnte. Gar manchmal habe ich auf der Durchreise in Karlsruhe ihn in dem letzten Lebensjahrzehnt besucht. Das eine Mal kam ich gerade, als er den *Pour le mérite* bekommen hatte, und so konnte ich ihm als erster gratulieren. Man macht als Verleger auch die alte Erfahrung, daß die wirklich großen Menschen die bescheidensten sind. Wie rührend bescheiden waren die Briefe dieses Ewigkeitsmenschen an mich, während die Leute, die für den Tag schreiben, das allergrößte Selbstgefühl und auch dementsprechende Honorarforderungen haben. Er war so etwas wie der Getreue Eckart aller Deutschen.

Ein ganz anderer Typus ist *Hermann Bahr.* Der sieht schon fast wie der liebe Gott aus mit seinem langen Barte, wenn er in verräucherter Stube an seinem Schreibtisch sitzt. Mehrmals war ich ihm von ferne begegnet, auf der Darmstädter Ausstellung, auch in Bayreuth. Mancherlei Briefe hatten wir gewechselt und doch dauerte es etwa fünfundzwanzig Jahre, ehe ich ihn einmal aufsuchte.

Ein Vertreter des lieben Gottes auf Erden war auch *Ernst Haeckel.* So fröhlich und gütig, daß man ihn liebhaben mußte, auch wenn man eine ganz andere Weltanschauung hatte. Daß aber sein Monismus irgendwie einen Haken haben könnte, war für Haeckel völlig undenkbar, da war er ebenso unfehlbar wie der andere Papst in Rom. Und doch war er nicht im geringsten eingebildet. Ein Verleger im benachbarten Gera ließ einmal eine Broschüre über ihn erscheinen mit dem Titel »Die Sonne von Jena«. Haeckel sah sie zum erstenmal in einer Jenaer Buchhandlung und fragte den Inhaber: »Was bedeutet denn das«? »Das sind Sie, Herr Professor«, antwortete jener. »Um Gottes willen« erwiderte Haeckel – »ich bin ja nur das Nachtlicht von Jena.« Haeckel war im persönlichen Verkehr nicht im geringsten Proaelytenmacher. 1906 begleitete ich einmal Ellen Key zu ihm und nach längerer Unterhaltung in seinem Arbeitszimmer im Institut rief er sein Jahrzehnte bewährtes Faktotum, den »alten Pohle« (von den Studenten »der Herr Geheimrat« genannt), herein und gab ihm den Auftrag, uns aufs Dach zu führen, um Jenas Landschaft von dort aus zu genießen. Dieser nannte dann auch alle Berge mit Namen und fügte bei dem einen hinzu: auf den kommt der Bismarckturm. Nun führte ich gerade in jenen Tagen lebhaften Zeitungskampf gegen dieses Projekt zugunsten einer anderen Stelle, hatte dabei aber Haeckel als Gegner. Ich sagte kurz: »Nein, er kommt nicht dahin.« Da antwortete Haeckels langjähriger Hausgenosse: »*Er kommt doch dahin, so wahr Gott im Himmel lebt und die Seele unsterblich ist.*« Von Haeckel trennte uns in diesem Augenblick nur die Decke seines Zimmers. So lebten zwei Welten verträglich nebeneinander.

Sein Gegenspiel in der Erscheinung ist der *Seppl*, von seinen Freunden der »Lügenseppl« genannt. Er besitzt so viel Phantasie, daß er selbst nicht unterscheiden kann, was wahr ist oder nicht, wenn er erzählt. So kam er einmal in der Revolutionszeit zu mir nach Jena und erzählte ganz aufgeregt, er wäre vor einer Stunde einem Demonstrationszug mit einer roten Fahne begegnet. Da hätte es ihn gepackt, er wäre hineingesprungen, hätte die große Pauke an sich gerissen und wäre mit herumgezogen. Die Erlebnisse, die er dabei hatte, erzählte er in großer Anschaulichkeit, und er war so begeistert, daß ihm wirkliche Tränen ins Gesicht liefen. Erst später kam ich dahinter, daß nicht das Geringste davon wahr war. Er sieht nichts weniger wie der liebe Gott aus, klein und rund, geht womöglich in langen Kanonenstiefeln und ist furchtbar beweglich. Er gehört zu meinen durchgegangenen Autoren, nämlich zur Konkurrenz. Neulich trafen wir uns auf dem Frankfurter Bahnhof. Er zappelte bei der Begrüßung ordentlich vor Vergnügen. Gerade vor zehn Minuten hatte er mit seiner Frau, die ihn begleitete, von mir gesprochen, und nun stellte sich heraus, daß wir gemeinsam bis Stuttgart fahren konnten. Er hatte sein neues Manuskript für den neuen Verleger unter dem Arm und brachte es selbst, jedenfalls um gleich einen großen Vorschuß in Empfang zu nehmen. Sein letztes Buch, mit dem er mir durchgegangen war, hatte bereits das hundertste Tausend überschritten. Was war die Folge? Ich sagte zu ihm im Speisewagen des D-Zuges, ein Schriftsteller, der soviel Erfolg hätte, könne auch einmal für einen armen Verleger den Kaffee bezahlen. Und was geschah – er bezahlte ihn wirklich.

Manchmal kommen auch sehr sonderbare Leute im Verlagsbüro an. Einmal kam ein freundlich aussehender stattlicher Mann zur Tür herein und sagte: »Ich bin ein Mensch ähnlich wie Christus.« Nun, das interessierte mich natürlich und ich fragte ihn: »Was treiben Sie denn in der Welt?« – »Fühlen Sie meine Beine«, sagte er und hielt mir den einen Schenkel hin. Ich fühlte, er war sehr stramm. »Ja«,

sagte er, »ich bin Athlet und habe eine Athletenschule im Anhalti-
schen.« Wie es so geschieht im Leben. Das Athlet-Sein befriedigte ihn
nicht, sondern er fühlte sich auch zum religiösen Reformator und
Menschenverbesserer berufen. Aber trotzdem kamen wir nicht zusammen. – Gerade in den Tagen, wo ich das niederschreibe, ließ sich ein
Mann mit einem komischen Namen melden, der sehr kriegerisch
klang. »Ich bin Illusionist«, sagte er, als er hereinkam. Nun, dachte
ich, da ist er ja ein Kollege. Wir Verleger sind ja alle Illusionisten. Es
stellte sich aber heraus, daß er gewerbsmäßig spiritistische Sitzungen
abhielt und er wollte dann auf diesem Gebiet für die »Volkheit« wirken.
Bedingung war: Vorschuß von 3000 Mark. Ich hätte sie ihm wirklich
gern gegeben, wenn ich sie gehabt hätte.

Da sind die Frauen doch viel bescheidener. Ich denke an meine
»Märchentochter«, die in schlimmster Kriegszeit, wo wir alle nichts zu
essen hatten, auf die Dörfer Thüringens zog, um Märchen zu erzählen.
Als sie vier Wochen Tag für Tag erzählt hatte, hatte sie sich soviel
verdient, daß sie sich einen Mantel kaufen konnte, und darüber war
sie sehr glücklich. Jetzt wohnt sie im Sommer auf ihrem Märchenschloß
in der Nähe von Lugano bei einer verwitterten Padrona, und ich besuchte sie, ihren Mann und ihre Katze vor einiger Zeit mit meinem
Lebenskameraden. Als wir wieder abreisten, sagte sie: »Lieber Vater
Diederichs, jetzt mußt du als Erster in unser Gästebuch schreiben, das
wir als Hochzeitsgeschenk erhalten haben.« – »Aber Kind«, antwortete
ich, »was soll ich hineinschreiben, ich weiß ja nichts.« – »Nun«, gab
sie zur Antwort, »schreibe doch hinein, was deine ersten Worte waren,
als du in unser Schloß kamst.« Ich wußte sie nicht mehr. »Nun, so
will ich sie dir sagen, sie lauteten: Ich bin riesig froh, daß ich endlich
einmal bei richtigen Bohemiens zu Besuch bin.« Es war auch noch
eine andere Pflegetochter anwesend (ich habe deren so manche) mit
dem schönen Märchennamen *Kunterbunt*. Ich lernte sie dadurch
kennen, daß sie mir eines Tages von München aus Zeichnungen
schickte und schrieb, wenn ich sie nicht gut fände, wollte sie Kuhmagd
werden. Glücklicherweise war das nicht nötig. Wir sind seitdem schon
manche Jahre in regem Briefwechsel, der besonders durch ihren Kampf
mit der Orthographie merkwürdig ist und auch noch durch das
Durcheinander ihrer plastischen Erzählweise. Jetzt hatte sie zu dem
Märchenbuch der Märchentochter viele Bilder gezeichnet und jedesmal

wenn Zeichnungen ankamen, schickte sie in ihrem Begleitbrief tausend Küsse mit. Was soll man aber mit papierenen Küssen anfangen? Mir kommt das immer so vor, wie jene Zeit, wo man sich für tausend Papiermark fast ein Dreierbrötchen kaufen konnte. Da wäre mir ein wirklicher Kuß schon lieber. Ja, von meinen Autorinnen könnte ich manches erzählen, zumal von einer, die ich besonders gern habe und die mir schon manche Küsse gegeben hat. Aber ich werde mich hüten, denn von den besten Frauen spricht man bekanntlich nicht. Wer sie kennenlernen will, soll mich in Jena besuchen, denn sie ist meine Frau.

Die beste Freundin meiner Frau aber ist eine ostpreußische Dichterin, die längst meine Autorin war, ehe ich meine Frau kennenlernte. Als sie uns vor einiger Zeit besuchte und wir abends zusammensaßen, bot ich ihr die Brüderschaft an. Wir stießen an und fertig war die Laube. Am anderen Tage mittags sagte sie zu mir, sie hätte eine Bitte an mich, ob sie du sagen dürfe. »Aber Agnes«, antwortete ich, »wir haben doch gestern abend Brüderschaft gemacht.« Da wußte sie gar nichts davon, sie hatte mich einfach nicht verstanden. Ja, die deutsche Sprache ist eine schwere Sprache.

Bei dem Frauenthema fällt mir ein, daß ich beinahe das Wichtigste zu erzählen vergessen habe, nämlich mein Zusammensein als junger Buchhändler mit Bismarck. Wie ich dazu kam? Nun ganz einfach, Glück muß der junge Mensch haben und auch ein wenig Keckheit. Als Bismarck in Verfemung kam und in den ersten Monaten der Ungnade niemand für ihn einzutreten wagte, beschloß der Verein deutscher Studenten, ihn in einem Huldigungskommers zu feiern, der nach der Wiener Reise mit dem mißglückten Empfang bei Kaiser Franz Joseph in Kissingen bei seinem folgenden Badeaufenthalt abgehalten wurde. Ein studentischer Freund in Würzburg – damals war ich Buchhändler und zugleich Hörer an der Universität – nahm mich mit zum Kommers, der auch den Würzburger Studenten offen stand. Wir waren etwa sechzig Teilnehmer. Er fand in dem für uns reservierten Garten des Restaurant »Hofjäger« unweit der Saline statt, an einer großen Tafel in Hufeisenform, und Fürst Bismarck saß etwa zwei Stunden in unserer Mitte, länger erlaubte es der mitanwesende Schweninger nicht. Natürlich wurden viele Reden gehalten. War dann das Hoch verklungen, wiederholte es die draußen vor dem Gartenzaun versammelte Volksmasse, indem irgendeiner den Anfang machte mit

dem Rufe: »Unser Bismarck soll leben.« Auch Bismarck sprach und
hielt, erst mit langsam stockender Stimme anfangend, dann immer
wärmer und lauter werdend, einen Trinkspruch auf die deutschen
Frauen. Der Präside der Kneiptafel, Studiosus Eichler, dankte dann in
ihrem Namen und ging von folgendem Bonmot aus: »Bismarck sei
stets ein Feind des Zopfes, aber nicht der Zöpfe gewesen.« Dieses
Bonmot kam mir in Erinnerung, als ich einst für das buchhändlerische
Oppositionsblatt den Titel »Zopfabschneider« fand, und heute kommt
es mir wieder in Erinnerung, wenn ich von den Frauen spreche. So
möchte ich es auch für mich selbst in Anspruch nehmen, wenn ich
auch sonst mit dem Genie Bismarcks nichts gemeinsam habe, und ich
schließe meine Bekenntnisse über Autoren und Autorinnen: »Ich bin
stets ein Feind des Zopfes, aber nicht der Zöpfe gewesen.«

Ausklang

Mein Verlag ist in seiner Form als deutscher Kulturverlag zu einem
gewissen Abschluß gekommen, und auch ich selbst fühle mit meinen
sechzig Jahren in mir einen Abschluß meiner Anschauungen und all
dessen, was ich gewollt und ersehnt habe. Man ist nun so weit gekommen, daß man sich sagt, jede neue Zeit stellt auch neue Aufgaben,
jetzt mag die nächste Generation die neuen Aufgaben in die Hand
nehmen. Aber das Verzichten wird trotz aller Einsicht nicht leicht,
denn immer noch fühlt man als notwendige innere Verpflichtung
mitzuhelfen, daß etwas geschieht, damit wir zu neuen Bindungen
kommen. Man ist ja selbst noch in den alten Bindungen aufgewachsen
und hat erlebt, wie wohltätig das war, auch wenn manche Lebensformen schon erstarrt waren.

Ich bin mir wohl bewußt und sage es in aller Bescheidenheit mit
dem Gefühl der unvollkommenen Leistung, daß die Autoren meines
Verlages in ihrer Wirkung auf das geistige Leben des Volkes aus der
Geistesgeschichte um die Jahrhundertwende nicht wegzudenken sind
und ebenso, daß vom Verlag aus auch eine gewisse Wirkung auf den
Buchhandel ausgegangen ist, nicht nur in Ausstattungsfragen, sondern
auch in der Auffassung der inneren Verpflichtung unseres Berufes. In
dieser Auffassung fühle ich mich in der gleichen Linie mit meinem

Thüringer Landsmanne Friedrich Perthes, der etwas mehr als nur geldverdienender Buchhändler und Verleger war. Im geistigen Leben der Nation fühle ich mich etwa in der Richtung von Lichtwark, Avenarius und Friedrich Naumann stehend, mit deren Lebenswerk ich mich eng verbunden fühle und denen ich während ihrer Wirksamkeit manchmal persönlich begegnet bin. Zumal zu Avenarius habe ich jahrelang ein enges Freundschaftsverhältnis gehabt, und es freute mich, daß dann nach langer Trennung in seinem letzten Lebensjahr sich dieses wieder anspann.

Blicke ich auf mein Werk zurück, so muß ich gestehen, ich hätte vieles besser machen und erfolgreicher gestalten können. Es ist wie bei den Herren vom Rathause, man wird erst später klug, wenn man vom Rathause wieder fortgegangen ist. Als Verleger ist man ein ewiger Dilettant, und das ist die eigentliche Tragik seines Lebens; wenn man irgendwo in einer eigenen schöpferischen, literarischen oder wissenschaftlichen Tätigkeit wurzeln würde, taugt man nicht zum Verleger. Ich meine, die erste Eigenschaft eines Verlegers muß Einfühlungsfähigkeit gepaart mit Instinktsicherheit sein, die zweite eine gewisse Kombinationsgabe, um verschiedene geistige Bezirke miteinander zu verbinden und zu selbständigen Analogieschlüssen zu kommen, die dritte Eigenschaft ist aber Wagemut, und diese ist sein eigentliches Schicksal, denn es heißt auf die richtige Karte setzen. Das bedeutet nicht immer, augenblicklichen Erfolg zu haben. Ich möchte sogar so weit gehen und sagen, der augenblickliche Erfolg ist gar nicht so entscheidend im verlegerischen Leben, das Entscheidende ist Ausdauer und Konsequenz. Der Zickzackkurs des Verlegers, der immer der neuesten Mode nachläuft, führt selten zu einem guten Ende. Es geht das wohl ein paar Jahre gut. Man kann aber nicht immer so schlau sein, daß man gleich die nächste Strömung am richtigen Zipfel anpackt, dafür ist die Konkurrenz zu stark.

Ich weiß sozusagen die impressionistische Art meines Verlages, die für das vergangene Zeitalter durchaus richtig war, geht zu Ende. Mein Verlag wird später unter Leitung meiner Söhne nicht mehr seinen universalen Charakter als deutscher Kulturverlag durchhalten können, sondern wird sich ganz bestimmte engere Linien suchen müssen. Wahrscheinlich wird in Zukunft erst der eigentliche Grundzug des Verlages, nämlich das Religiöse, deutlich sichtbar werden, freilich nicht religiös in kirchlicher Auffassung, sondern in dem Sinne, daß Gott und die Welt eins sind. In dem Sinne, daß Gott im menschlichen Geiste lebt und als solcher die Forderung stellt, daß der wirklich wesenhafte Mensch – er befindet sich immer innerhalb einer dünnen Einzelschicht – nicht in der Form des »Leblings« beharren darf, sondern sich zum »Geistling« entwickeln muß.

Ich glaube jedoch, die eigentliche Aufgabe meines Verlages ist noch nicht erfüllt, sondern steht ihm erst bevor, nämlich die Ausdehnung seiner Verdindungen über Deutschland hinaus in die Welt. Weniger im Verfolg internationalistischer und pazifistischer Ideen, sondern Vorausbedingung des Wirkens in Weltweite ist die Verwurzelung im Volkstum, denn dadurch entsteht erst die religiöse Dynamik des deutschen Menschen. Kein religiöses Gerede haben wir mehr nötig, sondern religiöses Tun im Sinne eines Sozialismus, der nicht nur die Arbeiterklasse, sondern alle Klassen umfaßt, mit einem Wort also: die wahrhafte Volksgemeinschaft. Volksgemeinschaft kann aber nur bestehen, wenn sich die Anschauung über Besitz im Sinne unseres großen Jenenser Ernst Abbe umwandelt: *Besitzpflicht geht vor Besitzrecht.*

Als ich während des Krieges in Kopenhagen einmal infolge von allerlei Verknüpfungen im Auto unserer Feinde und daher gleichfalls mit einem englischen Chauffeur in die Umgebung fuhr, kam mir zum Bewußtsein: Menschen verschiedener Nationen, die eine gemeinsame Menschheitsaufgabe haben, verstehen sich trotz aller notwendigen Verschiedenheit immer. Sogar in einer Zeit, in der ihre Regierungen Krieg führen. Sie fühlen sich verbunden, eben weil das Gemeinsame größer ist als das Trennende.

103

104